LES 200 MEILLEURES RECETTES
Barbecue
et autres délices estivaux

Édition
Communications Duocom inc.

Direction de projet
Nicolas Vallée

Recherche culinaire
Nicolas Vallée, Suzanne Cazelais, Kristine Doucet

Révision technique
Suzanne Cazelais

Correction
Francine St-Jean

Photographie
Martin Vigneault photographe

Stylisme
Michèle Painchaud

Réalisation et conception infographique
Lacroix O'Connor Lacroix

Traitement des photos
Groupimage

Impression
Imprimerie Transcontinental

Dépôt légal, 2e trimestre 2005
Bibliothèque nationale du Québec
Bibliothèque nationale du Canada
Publié par Communications Duocom inc.
ISBN 2-922030-50-4

www.leguidecuisine.com

Communications Duocom inc.
90, rue Sainte-Anne, bureau 203
Sainte-Anne-de-Bellevue
(Québec) H9X 1L8
Tél. : (514) 457-0144
Téléc. : (514) 457-0226

Table des matières

uoi de plus relaxant et d'agréable que de cuisiner sur le barbecue avec des membres de la famille ou des amis ! Et si, en plus, vous ajoutez à cela un bon verre de vin et des recettes alléchantes, c'est le bonheur !

Au Guide Cuisine, nous croyons que manger dépasse de beaucoup l'acte en lui-même. En effet, le plaisir de se nourrir débute tout d'abord par une simple inspiration, suivie par la planification et l'achat d'ingrédients. Ensuite, le vrai plaisir commence : la création du chef-d'œuvre culinaire qui est, pour plusieurs de cuistots, aussi importante que la dégustation. Enfin, la dégustation, qui est considérée comme le summum de la création, l'accouchement culinaire ! Naturellement, si ces étapes sont faites en bonne compagnie, le plaisir sera encore plus grand.

Cet ouvrage est un condensé de dix années de création de recettes et d'essais en cuisine par toute l'équipe du magazine. Bien sûr, choisir les 200 meilleures recettes de barbecue et d'été a représenté un défi de taille. Ce défi, nous l'avons relevé en pensant toujours à vous et à votre plaisir de cuisiner à l'extérieur.

Voici donc des idées variées et alléchantes pour répondre à presque toutes les occasions estivales, des plus spéciales aux plus quotidiennes. Divisées en thèmes précis pour faciliter la consultation, elles se veulent relativement simples d'exécution et, en général, les ingrédients sont faciles à trouver. Pour vous aider à choisir et pour vous tenter, chaque recette est accompagnée d'une superbe photo. Des conseils de chef, des astuces et diverses informations ainsi que des encadrés culinaires complètent merveilleusement le tout.

Bref, nous croyons que *Les 200 meilleures recettes de barbecue et autres délices estivaux* est un ouvrage complet et superbement illustré qui occupera une place de choix dans votre bibliothèque gastronomique.

Bonne cuisine !

L'équipe du Guide Cuisine

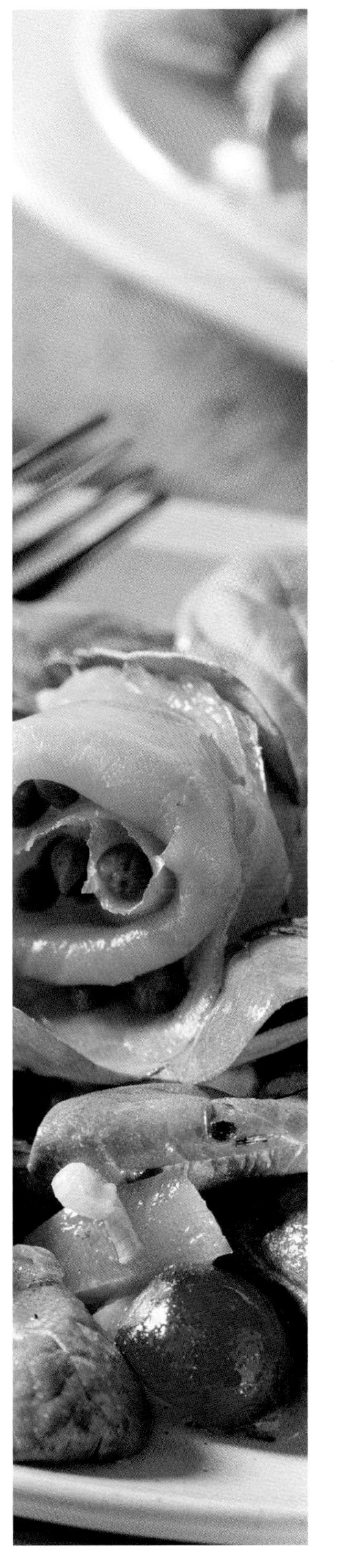

Salades estivales

SALADE « WOW ! » 4-6 PORTIONS

1	laitue romaine lavée, essorée et déchiquetée
12	quartiers d'orange, sans peau, coupés en deux
1	banane pelée et tranchée
½	oignon rouge tranché
⅓ tasse 80 ml	pistaches émondées
12	grosses crevettes cuites, décortiquées et coupées en deux sur la longueur

VINAIGRETTE AU YOGOURT ET AU CURRY

2 c. à soupe 30 ml	jus de lime
⅔ tasse 160 ml	yogourt nature
2 c. à thé 10 ml	poudre de curry
3 c. à soupe 45 ml	mayonnaise
	Poivre

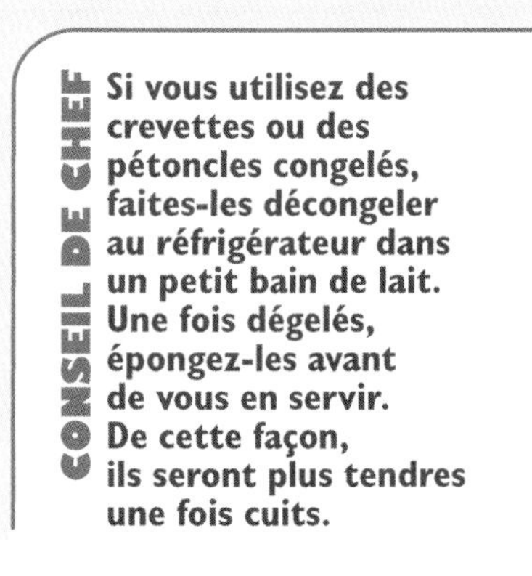

CONSEIL DE CHEF

Si vous utilisez des crevettes ou des pétoncles congelés, faites-les décongeler au réfrigérateur dans un petit bain de lait. Une fois dégelés, épongez-les avant de vous en servir. De cette façon, ils seront plus tendres une fois cuits.

1 Mettre les quatre premiers ingrédients dans un bol à salade, puis bien mélanger. Mouiller avec la vinaigrette au yogourt et au curry, puis bien mélanger. Servir immédiatement la salade dans 4-6 bols individuels. Garnir chaque portion de pistaches et de crevettes.

VINAIGRETTE AU YOGOURT ET AU CURRY

2 Dans un bol, bien mélanger tous les ingrédients de la vinaigrette. Poivrer au goût. Réserver au réfrigérateur.

SALADE DE THON, DE TOMATES ET DE POIVRONS GRILLÉS 4 PORTIONS

	Feuilles de laitue nettoyées, essorées et déchiquetées
2	tomates
1 ½ tasse 375 ml	poivrons grillés, coupés en bouchées
3	œufs durs coupés en quartiers
1	boîte de 6,5 oz (184 ml) de thon égoutté
2 c. à soupe 30 ml	câpres égouttées
3 c. à soupe 45 ml	huile d'olive
2 c. à soupe 30 ml	jus de citron
	Sel et poivre
	Coriandre fraîche

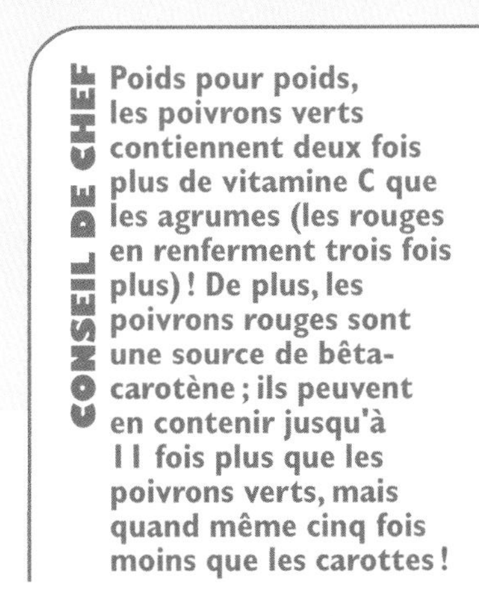
CONSEIL DE CHEF

Poids pour poids, les poivrons verts contiennent deux fois plus de vitamine C que les agrumes (les rouges en renferment trois fois plus) ! De plus, les poivrons rouges sont une source de bêta-carotène ; ils peuvent en contenir jusqu'à 11 fois plus que les poivrons verts, mais quand même cinq fois moins que les carottes !

1. Tapisser le fond d'un plat de service avec les feuilles de laitue. Réserver. Griller les tomates au barbecue à feu moyen, 5-7 minutes au total, en les badigeonnant généreusement d'huile avant le grillage. Les tourner à quelques reprises durant la cuisson. Les couper en deux dans l'épaisseur, puis les épépiner. Les couper en quartiers, puis réserver.
2. Disposer esthétiquement les morceaux de poivrons et de tomates grillés ainsi que les quartiers d'œufs durs sur le plat de service. Répartir le thon et les câpres sur l'assiette, puis mouiller avec l'huile et le jus de citron.
3. Saler et poivrer au goût, puis garnir de coriandre fraîche. Servir comme entrée avec des pitas ou comme lunch en ajoutant une autre boîte de thon.

SALADE DE PROSCIUTTO ET DE CHAMPIGNONS GRILLÉS AUX FRAMBOISES 4 PORTIONS

1	chicorée séparée et lavée
⅓ lb 150 g	prosciutto tranché mince
	Huile d'olive
	Vinaigre aux framboises
	Framboises fraîches
	Herbes fraîches au choix

BROCHETTES DE CHAMPIGNONS

4 tasses 1 L	champignons au choix (pleurotes, portobellos, blancs, etc.) nettoyés et coupés en gros morceaux
4 c. à soupe 60 ml	vinaigre balsamique
1 c. à soupe 15 ml	moutarde forte
3 c. à soupe 45 ml	huile d'olive
¼ c. à thé 1 ml	poudre d'ail
	Sel et poivre

CONSEIL DE CHEF

Dans les recettes de salades, nous vous recommandons d'utiliser certaines laitues et pousses diverses, mais n'hésitez pas à essayer d'autres produits qui se trouvent en magasin : laitue feuille de chêne, chicorée, roquette, radicchio, mesclun, endive, Bibb, Boston, oseille, mâche, cresson, etc. Si vous faites vos achats dans une épicerie spécialisée, vous découvrirez que le monde des salades est infini !

1. Couvrir le fond de quatre assiettes d'un lit de chicorée. Déchiqueter un peu les feuilles si elles sont trop grandes. Déposer une brochette de champignons au centre de chaque assiette, puis la désenfiler si désiré.
2. Ciseler le prosciutto, puis le disposer esthétiquement sur les morceaux de champignons et autour. Mouiller avec de l'huile d'olive et du vinaigre aux framboises au goût. Garnir de framboises et d'herbes fraîches. Servir immédiatement.

BROCHETTES DE CHAMPIGNONS

3. Mettre les morceaux de champignons dans un bol creux. Mouiller avec le reste des ingrédients, puis saler et poivrer au goût. Mélanger délicatement, puis laisser mariner 2 heures ou plus selon le temps disponible. Mélanger quelques fois durant le marinage.
4. Préchauffer le barbecue à feu moyen. Enfiler les morceaux de champignons sur quatre brochettes. Les griller une dizaine de minutes au total, en les tournant et en les badigeonneant de la marinade quelques fois durant la cuisson. Retirer les brochettes du barbecue. Servir comme entrée ou plat d'accompagnement.

MESCLUN AUX FRUITS ET AUX LARDONS 4 PORTIONS

½ lb 227 g	mesclun
3 tasses 750 ml	fruits au choix (fraises, oranges, melon, kiwis, caramboles, etc.), parés et coupés en morceaux
⅓-½ lb 150-227 g	lard ou bacon pas trop gras

2 c. à soupe 30 ml	huile de sésame ou de noix
2 c. à soupe 30 ml	vinaigre de vin rouge
	Poivre noir du moulin

CONSEIL DE CHEF

Un fruit entamé peut se garder de 2 à 3 jours de plus si vous le placez au réfrigérateur, côté coupé vers le bas, dans un bol moyen à fond plat contenant un peu d'eau salée. Le fruit restera presque aussi frais que si vous veniez de le couper.

1. Déposer le mesclun dans quatre assiettes. Le garnir uniformément et esthétiquement des fruits frais mélangés. Réserver.
2. Découper les lardons en bâtonnets. Dans une poêle moyenne, faire chauffer l'huile à feu moyen. Ajouter les lardons, puis les faire revenir en brassant quelques minutes; ils doivent être à peine rissolés. Répartir également les lardons et l'huile de sésame sur chaque portion. Remettre la poêle sur le feu. Réchauffer le vinaigre, puis le verser sur la salade. Poivrer au goût. Servir immédiatement.

SALADE À LA POIRE, À L'AVOCAT ET AU BLEU 4 PORTIONS

	Feuilles de laitue Boston ou frisée
2	poires mûres, parées et coupées en tranches
2	avocats parés et coupés en tranches
¼ lb 115 g	fromage bleu ferme émietté
	Poivre noir du moulin

VINAIGRETTE À LA MOUTARDE

¼ tasse 60 ml	huile d'olive
2 c. à soupe 30 ml	vinaigre de vin rouge
1 c. à thé 5 ml	moutarde sèche
½ c. à thé 2,5 ml	thym sec
¼ c. à thé 1 ml	cumin moulu
	Sel

CONSEIL DE CHEF

Il existe plusieurs types de fromages bleus, chacun d'eux ayant une texture et un goût spécifiques. Qu'ils proviennent du Canada ou de l'extérieur, n'hésitez pas, selon les disponibilités, à remplacer les fromages bleus suggérés dans nos recettes par d'autres. Le seul élément à considérer est la texture. Si nous vous proposons un fromage bleu de texture crémeuse ou ferme, vous devrez le remplacer par un fromage de texture similaire. Voici la liste des principaux fromages bleus offerts en magasin, classés selon leur texture. Surtout, n'hésitez pas à demander conseil à votre fromager.

Fromages bleus crémeux : de Bresse, gorgonzola, Saint-Agur, borgonzola (mélange canadien de brie et de bleu de type gorgonzola), etc.

Fromages bleus fermes ou semi-fermes : danois, roquefort, fourme d'Ambert, stilton, bleu ermite (Québec), bleu bénédictin (Québec), bleu d'Auvergne, etc.

1 Couvrir le fond de quatre assiettes de deux grandes feuilles de laitue. Disposer en cercle des tranches de poires et d'avocats, en les alternant, sur le lit de laitue. Garnir de fromage bleu, puis mouiller avec de la vinaigrette à la moutarde au goût. Poivrer au goût, puis servir.

VINAIGRETTE À LA MOUTARDE

2 Dans un bol, bien fouetter tous les ingrédients. Réserver au réfrigérateur.

SALADE D'ENDIVES ET DE FRAISES POIVRÉES 4 PORTIONS

2	endives préparées et nettoyées
4 tasses 1 L	feuilles de laitue romaine lavées et déchiquetées
1 tasse 250 ml	fraises fraîches tranchées
	Poivre noir du moulin

VINAIGRETTE À L'HUILE DE NOIX ET À LA LIME

2 c. à soupe 30 ml	jus de lime
½ c. à thé 2,5 ml	moutarde sèche
¼ c. à thé 1 ml	cumin en poudre
2	échalotes hachées
¼ tasse 60 ml	huile de noix

CONSEIL DE CHEF

Il est essentiel de bien assécher les feuilles de laitue après les avoir lavées, car si elles sont encore un peu mouillées ou humides, cela diluera la vinaigrette. Plutôt que d'adhérer à la laitue, la vinaigrette se retrouvera au fond du bol à salade, avec l'eau.

1. Déchiqueter les endives en morceaux, puis les déposer dans un bol à salade avec les morceaux de laitue romaine. Bien mélanger, puis répartir la salade dans quatre assiettes. Garnir chaque portion de tranches de fraises et d'une fraise entière. Assaisonner généreusement de poivre noir du moulin grossièrement concassé. Mouiller avec la vinaigrette à l'huile de noix et à la lime. Servir.

VINAIGRETTE À L'HUILE DE NOIX ET À LA LIME

2. Dans un bol, fouetter ensemble tous les ingrédients. Ajouter graduellement l'huile tout en continuant de fouetter. Laisser reposer 30 minutes avant d'utiliser.

SALADE D'ÉPINARDS AUX RAISINS ROUGES ET AU SAUMON FUMÉ 4-6 PORTIONS

6 tasses 1,5 L	jeunes feuilles d'épinard lavées et bien essorées
2 tasses 500 ml	raisins rouges sans pépins, coupés en deux
6	échalotes vertes tranchées
1	poivron orange paré et coupé en carrés
½ lb 227 g	saumon fumé en tranches
	Câpres égouttées

SAUCE-VINAIGRETTE À LA MOUTARDE ET À L'ANETH

1 c. à thé 5 ml	moutarde sèche
1 c. à soupe 15 ml	sucre granulé
2 c. à soupe 30 ml	vinaigre blanc
2 c. à soupe 30 ml	moutarde de Dijon
4 c. à soupe 60 ml	huile d'olive
3 c. à soupe 45 ml	feuilles d'aneth frais, hachées
¼ c. à thé 1 ml	poivre noir moulu

1 Mettre les feuilles d'épinard dans un grand bol à salade, puis ajouter les raisins, les échalotes et le poivron. Mouiller avec un peu de sauce-vinaigrette à la moutarde et à l'aneth (vous en rajouterez juste avant de servir), puis mélanger.

2 Servir 4-6 portions de salade dans des assiettes moyennes. Garnir chacune d'elles de quelques tranches de saumon fumé roulées contenant quelques câpres. Mouiller chaque portion avec un léger filet de sauce-vinaigrette à la moutarde et à l'aneth. Servir immédiatement. Accompagner de tranches de pain frais.

SAUCE-VINAIGRETTE À LA MOUTARDE ET À L'ANETH

3 Mettre les trois premiers ingrédients dans un petit bol, puis bien intégrer avec le dos d'une petite cuillère. Ajouter le reste des ingrédients, puis bien mélanger jusqu'à l'obtention d'une sauce homogène et bien intégrée.

4 Couvrir et réserver quelques heures pour laisser le temps aux saveurs de se développer. Conserver au réfrigérateur. Laisser revenir à la température de la pièce avant d'utiliser.

VINAIGRETTES EXPRESS

VINAIGRETTE FRANÇAISE

½ tasse (125 ml)

2 c. à soupe 30 ml	vinaigre de vin rouge
1 c. à thé 5 ml	moutarde de Dijon
1	gousse d'ail écrasée
	Sel et poivre du moulin
⅓ tasse 80 ml	huile d'olive

1 Dans un bol, mélanger les trois premiers ingrédients, puis saler et poivrer au goût.

2 Ajouter graduellement l'huile en filet tout en mélangeant à l'aide d'un fouet. Servir immédiatement.

VINAIGRETTE RANCH

¾ tasse (180 ml)

1	grosse gousse d'ail écrasée
⅖ tasse 100 ml	crème sure
⅓ tasse 80 ml	mayonnaise
¼ c. à thé 1 ml	graines de céleri
1 c. à thé 5 ml	aneth frais, haché
1 c. à thé 5 ml	moutarde de Dijon
½ c. à thé 2,5 ml	paprika moulu
	Sel et poivre

1 Mettre tous les ingrédients dans un bol, puis saler et poivrer au goût. Fouetter le mélange jusqu'à l'obtention d'une préparation lisse et homogène. Réserver au réfrigérateur.

SAUCE-VINAIGRETTE AUX POIVRONS ROUGES GRILLÉS

2 tasses (500 ml)

1 tasse 250 ml	poivrons rouges grillés
1 tasse 250 ml	fromage feta émietté
½ c. à thé 2,5 ml	ail en poudre
	Sel et poivre
	Lait ou crème 10 %

1 Mettre tous les ingrédients dans un robot culinaire, puis saler et poivrer au goût. Réduire jusqu'à l'obtention d'une préparation lisse et homogène.

2 Incorporer juste assez de lait ou de crème 10 % pour créer une préparation onctueuse. En ajouter un peu plus pour une vinaigrette et un peu moins pour une sauce ou une trempette. Réserver au réfrigérateur.

SALADE DE CALMARS GRILLÉS **4 PORTIONS**

⅓ tasse 80 ml	huile d'olive
3 c. à soupe 45 ml	vinaigre de vin rouge
	Jus d'un citron
1 c. à soupe 15 ml	romarin frais haché
2	gousses d'ail écrasées
	Sel et poivre
1,1 lb 500 g	calmars frais
	Feuilles de laitue au choix (frisée, roquette, radicchio, etc.)

1. Dans un bol, bien mélanger l'huile, le vinaigre, le jus de citron, le romarin et l'ail. Saler et poivrer au goût, puis réserver la vinaigrette.
2. Bien laver les calmars sous l'eau froide, puis séparer la tête et les tentacules du corps de chaque calmar. Enlever la peau sur le corps, puis en retirer la membrane dure à l'intérieur ainsi que la membrane transparente. Réserver les corps dans un bol moyen. Retirer la bouche (petit morceau dur avec la tête) des tentacules avec un petit couteau. Ajouter les tentacules parés au bol contenant les morceaux de corps, puis badigeonner généreusement les morceaux de calmars de la vinaigrette. Réserver 1 heure.
3. Enfiler les morceaux de calmars sur des brochettes, puis les griller au barbecue, à feu moyen-élevé, 2-3 minutes de chaque côté. Le calmar doit être saisi rapidement à feu élevé pour qu'il ne devienne pas caoutchouteux.
4. Déposer les calmars grillés sur une surface de travail, puis les trancher. Déposer les tranches de calmars sur un lit de feuilles de laitue au choix, puis les napper du reste de la vinaigrette. Servir immédiatement.

SALADE DE FILET DE PORC ET D'ASPERGES AUX NOIX DE PIN 4 PORTIONS

1	filet de porc de 1 lb (454 g)
	Poivre
	Moutarde de Dijon
⅔ lb 300 g	pointes d'asperges fraîches ou en boîte
4 c. à soupe 60 ml	noix de pin grillées
⅓ lb 150 g	bacon ou lard dégraissé, sauté et coupé en petits morceaux

VINAIGRETTE AU ROMARIN

2 c. à soupe 30 ml	vinaigre au romarin ou blanc
2 c. à soupe 30 ml	miel liquide
1 c. à soupe 15 ml	romarin frais haché
2 c. à soupe 30 ml	mayonnaise
	Sel et poivre

CONSEIL DE CHEF

Nettoyez bien la grille de cuisson du barbecue avant de l'utiliser. Servez-vous d'une grosse brosse conçue à cet effet et grattez la grille une fois qu'elle est bien chaude. Elle se nettoiera alors plus facilement (avant ou après l'utilisation). Vous profiterez ainsi pleinement des saveurs d'aujourd'hui, et non pas de celles d'hier. De plus, lavez toujours les roches volcaniques ou de céramique en début de saison.

1 Bien poivrer le filet de porc. Le badigeonner de moutarde de Dijon, puis le cuire sur le gril 15-18 minutes, à feu moyen-élevé, ou jusqu'à ce que la chair soit encore légèrement rosée. Le tourner quelques fois durant la cuisson. Le retirer du gril, puis le trancher en rondelles obliques. Réserver.

2 Si vous utilisez des asperges fraîches, les cuire dans l'eau bouillante légèrement salée environ 5 minutes. Elles doivent être encore croustillantes. Les égoutter, puis les couper en deux. Les déposer dans un bol. Ajouter les tranches de porc, puis mouiller avec la vinaigrette au romarin. Mélanger délicatement, puis répartir le mélange dans quatre assiettes préalablement garnies d'un fond de pâtes fraîches à l'huile d'olive. Garnir chaque portion de noix de pin grillées et de petits morceaux de bacon. Servir immédiatement.

VINAIGRETTE AU ROMARIN

3 Dans un bol, bien mélanger tous les ingrédients. Saler et poivrer au goût. Réserver au réfrigérateur.

SALADE CALIFORNIENNE AU FETA GRILLÉ 4 PORTIONS

1	oignon rouge coupé en petits cubes	8	fraises équeutées et coupées en quatre
1	poivron jaune ou orange paré et coupé en petits cubes	*2 c. à soupe* 30 ml	coriandre fraîche ciselée
3	tomates parées, évidées et coupées en petits cubes	*2 c. à thé* 10 ml	sucre granulé
2	pommes pelées, parées et coupées en petits cubes		Jus de deux limes
	Chair d'un avocat coupée en petits cubes	*⅓ lb* 150 g	fromage feta coupé en cubes, puis congelé 30 minutes

CONSEIL DE CHEF Pour ramollir les citrons et les limes afin d'en dégager le plus de liquide possible, vous pouvez les aplatir légèrement avec la paume de la main en les roulant sur le comptoir. Vous pouvez aussi les réchauffer de 15 à 20 secondes au micro-ondes. Si vous utilisez le zeste, préférez des citrons de culture biologique.

1. Préchauffer le four à « broil ». Dans un bol à salade moyen, mélanger délicatement les huit premiers ingrédients, puis mouiller avec le jus de lime. Couvrir et laisser reposer. Retirer les cubes de feta du congélateur, puis les déposer sur une plaque allant au four. Mettre la plaque au four, puis griller le dessus des morceaux de fromage 1 minute ou jusqu'à ce qu'ils soient légèrement colorés mais pas fondus.
2. Verser les cubes de fromage grillés dans la salade. Mélanger, puis servir immédiatement dans des bols individuels. Accompagner de quelques feuilles d'endive et de pain grillé ou de pitas chauds.

SALADE D'ASPERGES ET DE POIRES AU PARMESAN 4 PORTIONS

¾-1 lb 345-454 g	asperges fraîches, parées
2	poires mûres
1	poivron rouge paré et coupé en julienne
	Jus d'un citron
	Poivre noir du moulin
	Câpres égouttées

VINAIGRETTE AU PARMESAN

½ tasse 125 ml	parmesan râpé
1 c. à thé 5 ml	origan sec
4 c. à soupe 60 ml	vinaigre de vin blanc
6 c. à soupe 90 ml	huile d'olive

CONSEIL DE CHEF Rien n'équivaut le goût du véritable parmesan italien, le parmigiano reggiano, fraîchement râpé. Vendu en bloc, il semble beaucoup plus cher que le parmesan canadien prérâpé, mais une fois râpé, son volume augmente considérablement. Puisqu'il est beaucoup plus parfumé que celui en boîte, vous en utiliserez moins. Vous goûterez ainsi la différence ! De plus, lorsqu'il ne vous restera que la croûte de votre fromage, enveloppez-la, puis congelez-la. Ajoutez-la à vos soupes ou à votre sauce tomate pendant la cuisson pour les parfumer ; toutefois, assurez-vous de la retirer avant de servir.

1. Cuire les asperges quelques minutes dans une casserole remplie d'eau bouillante. Ne pas trop les cuire, car elles doivent être légèrement croustillantes. Les égoutter, puis les trancher en deux dans le sens de la longueur. Réserver.
2. Couper les poires en deux pour obtenir deux moitiés identiques. Les parer, puis les trancher finement. Dans quatre assiettes, disposer en cercles esthétiques les tranches de poires, les asperges et la julienne de poivron. Mouiller chaque portion avec le jus de citron, puis poivrer au goût. Napper le centre de chaque assiette de vinaigrette au parmesan, puis garnir de quelques câpres. Servir immédiatement.

VINAIGRETTE AU PARMESAN

3. Mettre le parmesan et l'origan dans un bol. Incorporer graduellement le vinaigre et l'huile tout en mélangeant avec une fourchette. Réserver au réfrigérateur.

SALADE DE TOMATES ET DE SAUCISSES GRILLÉES AUX TROIS FROMAGES 4-6 PORTIONS

⅓ lb 150 g	fromage mozzarella tranché
⅓ lb 150 g	fromage bocconcini tranché
⅓ lb 150 g	fromage gouda fumé ou ordinaire, tranché
3	échalotes sèches hachées finement
	Huile d'olive vierge extra
	Vinaigre de vin
	Sel et poivre noir du moulin
6	saucisses européennes au choix (italiennes, de Toulouse, etc.)
	Feuilles de cresson nettoyées
5	grosses tomates parées et tranchées
	Feuilles de basilic frais

1. Mettre les fromages dans un plat rectangulaire, puis les garnir d'échalotes. Mouiller avec de l'huile d'olive et du vinaigre au goût. Saler et poivrer au goût, puis réfrigérer quelques heures.
2. Griller les saucisses au barbecue à feu moyen, une vingtaine de minutes, en les tournant régulièrement. Ne pas trop les cuire, car elles s'assécheront. Retirer les saucisses du gril, puis les trancher.
3. Recouvrir 4-6 assiettes de feuilles de cresson, puis alterner, en rangées, des tranches de tomates, de fromages et de saucisses. Garnir généreusement de basilic, puis mouiller au goût avec le mélange d'huile et de vinaigre dans lequel a baigné le fromage. Rectifier l'assaisonnement, puis servir immédiatement.

CONSEIL DE CHEF

Il est préférable d'épépiner les tomates et les concombres avant de les ajouter à vos salades. Ceci empêchera votre vinaigrette d'être diluée par l'eau des légumes et de perdre du goût. De plus, en mouillant votre salade avec la vinaigrette à la toute dernière minute, vous éviterez de la flétrir ; elle restera ainsi plus croustillante.

VERDURE DE HOMARD ET DE CRABE À L'AVOCAT 8-12 PORTIONS

3 tasses 750 ml	chair de homard frais ou en boîte
3 tasses 750 ml	chair de crabe frais ou en boîte
2	branches de céleri tranchées
	Chair de trois avocats, coupée en cubes
	Jus et zeste de deux limes
1 c. à thé 5 ml	graines d'aneth
	Sel de mer
	Poivre noir du moulin
	Feuilles de laitue Boston

1. Si vous utilisez de la chair de fruits de mer en boîte, bien l'égoutter et l'assécher. Mettre la chair de homard et de crabe dans un grand bol avec le reste des ingrédients, sauf les feuilles de laitue Boston. Saler et poivrer au goût, puis mélanger délicatement. Couvrir, puis laisser reposer 2 heures au réfrigérateur avant de servir.

2. Mélanger quelques fois durant le marinage. Transvider le mélange de fruits de mer sur une belle assiette de service tapissée de feuilles de laitue Boston, puis garnir de coriandre fraîche et de quartiers de lime.

CROÛTONS

Simples, rapides et délicieux, les croûtons maison se conservent quelques semaines dans de grands sacs à fermeture hermétique. Idéalement, profitez-en pour utiliser du vieux pain; de cette façon, vous ne le perdrez pas. N'hésitez pas à doubler ou même à tripler les recettes que vous pourrez congeler par la suite.

CROÛTONS À L'AIL

6 tasses (1,5 L)

8	tranches de pain au choix
½ tasse 125 ml	huile d'olive
2 c. à thé 10 ml	persil sec
2	grosses gousses d'ail dégermées et hachées finement
¼ c. à thé 1 ml	poivre noir moulu
¼ c. à thé 1 ml	sel de mer

1. Préchauffer le four à 325 °F (165 °C). Déposer les tranches de pain sur une surface de travail, puis les réserver. Mettre le reste des ingrédients dans un petit bol, puis bien fouetter. Badigeonner chaque côté des tranches de pain d'une légère couche de cette huile aromatisée.

2. Trancher délicatement chaque tranche de pain avec un couteau dentelé en 25 petits carrés (5 x 5), puis les déposer sur une grande plaque allant au four. Vous pouvez les tasser un peu.

3. Mettre la plaque au four, puis griller les petits carrés de pain 20-25 minutes ou jusqu'à ce qu'ils soient bien colorés et croustillants. Bien mélanger les croûtons à la mi-cuisson. Retirer la plaque du four, puis attendre qu'ils soient entièrement refroidis avant de les utiliser ou de les réserver dans de grands sacs à fermeture hermétique.

CROÛTONS ASSAISONNÉS

6 tasses (1,5 L)

8	tranches de pain au choix
½ tasse 125 ml	huile d'olive
2 c. à thé 10 ml	sel assaisonné
1 c. à thé 5 ml	graines d'aneth hachées grossièrement
¼ c. à thé 1 ml	poivre noir moulu
1 c. à thé 5 ml	paprika moulu
¼ c. à thé 1 ml	piment de Cayenne
1 c. à thé 5 ml	poudre de chili
1 c. à thé 5 ml	poudre d'ail

1. Préchauffer le four à 325 °F (165 °C). Déposer les tranches de pain sur une surface de travail, puis les réserver. Mettre le reste des ingrédients dans un petit bol, puis bien fouetter. Badigeonner chaque côté des tranches de pain d'une légère couche de cette huile aromatisée.

2. Trancher délicatement chaque tranche de pain avec un couteau dentelé en 25 petits carrés (5 x 5), puis les déposer sur une grande plaque allant au four. Vous pouvez les tasser un peu.

3. Mettre la plaque au four, puis griller les petits carrés de pain 20-25 minutes ou jusqu'à ce qu'ils soient bien colorés et croustillants. Bien mélanger les croûtons à la mi-cuisson. Retirer la plaque du four, puis attendre qu'ils soient entièrement refroidis avant de les utiliser ou de les réserver dans de grands sacs à fermeture hermétique.

SALADE VERTE AUX FIGUES ET AU BOCCONCINI 4-6 PORTIONS

2	petites laitues Boston lavées, essorées et déchiquetées
8	figues fraîches coupées en quatre
4-6	fromages bocconcini tranchés
8	petites tranches de jambon de Bayonne roulées

VINAIGRETTE AUX FIGUES

1 c. à soupe 15 ml	sirop d'érable
2 c. à soupe 30 ml	confiture de figues hachées finement (ou tartinade)
3 c. à soupe 45 ml	vinaigre de vin blanc
⅓ tasse 80 ml	huile d'olive
	Sel et poivre

CONSEIL DE CHEF **Le degré d'acidité idéal d'une vinaigrette est une question de goût. N'hésitez pas à réduire ou à augmenter les ingrédients acidifiants (vinaigre, jus de citron ou de lime) dans vos recettes préférées.**

1 Recouvrir une grande assiette ovale légèrement creuse des morceaux de laitue Boston. Répartir également sur la laitue les quartiers de figues, les tranches de fromage et les roulades de jambon. Mouiller généreusement avec la vinaigrette aux figues. Servir immédiatement.

VINAIGRETTE AUX FIGUES

2 Mettre tous les ingrédients dans un bol, puis saler et poivrer au goût. Bien fouetter, puis laisser reposer 30 minutes avant de servir.

SALADE FRISÉE AUX POIRES ET AU BLEU 4 PORTIONS

1	laitue frisée lavée, essorée et déchiquetée
2	poires mûres coupées en deux, puis parées
⅓ lb 150 g	fromage bleu émietté
	Pacanes entières, grillées
	Échalotes vertes (ou ciboulette fraîche) tranchées

VINAIGRETTE AU MIEL

2 c. à soupe 30 ml	vinaigre de cidre
½ c. à thé 2,5 ml	moutarde forte
3 c. à soupe 45 ml	miel liquide
¼ c. à thé 1 ml	thym moulu
½ c. à thé 2,5 ml	sel assaisonné ou de céleri
	Poivre noir du moulin
⅓ tasse 80 ml	huile d'olive

CONSEIL DE CHEF **Pour réduire la quantité de calories d'une vinaigrette sans en altérer la saveur, remplacez la moitié de l'huile par un bouillon de poulet ou de bœuf goûteux.**

1 Répartir la laitue dans le fond de quatre grandes assiettes, puis déposer une demi-poire au centre de chacune d'elles. Remplir la cavité de chaque demi-poire de fromage bleu, puis mouiller au goût avec la vinaigrette au miel.

2 Garnir chaque portion de quelques pacanes et d'échalotes ou de ciboulette. Servir immédiatement. Accompagner de pain frais.

VINAIGRETTE AU MIEL

3 Mettre tous les ingrédients, sauf l'huile, dans un petit bol, puis poivrer au goût. Bien fouetter, puis incorporer l'huile en filet tout en continuant de remuer. Bien fouetter jusqu'à l'obtention d'une vinaigrette homogène.

SALADE D'AGNEAU GRILLÉ AUX ENDIVES, À LA SAVEUR TOMATÉE PIQUANTE 4 PORTIONS

8-12	côtelettes d'agneau épaisses
	Poivre noir du moulin
	Herbes de Provence
	Huile d'olive
6	endives parées et défaites en feuilles
1	laitue Boston lavée, essorée et déchiquetée
	Quartiers de tomates

VINAIGRETTE TOMATÉE PIQUANTE

3 c. à soupe 45 ml	sauce chili (style ketchup)
2 c. à soupe 30 ml	vinaigre blanc
1 c. à thé 5 ml	moutarde sèche
1	grosse gousse d'ail hachée
1 c. à thé 5 ml	sauce Worcestershire
	Pincée de piment de Cayenne
	Sel et poivre
⅓- ½ tasse 80-125 ml	huile d'olive

CONSEIL DE CHEF

Avant de servir une vinaigrette qui a été réfrigérée, laissez-la reposer de 45 minutes à la température de la pièce. Elle développera ainsi toutes ses saveurs et son onctuosité. Pour accélérer le processus, vous pouvez aussi déposer le contenant dans de l'eau très chaude de 3 minutes ou jusqu'à ce que la vinaigrette soit à la température de la pièce.

1. Mettre les côtelettes d'agneau sur une surface de travail, puis les assaisonner généreusement de poivre noir et d'herbes de Provence. Bien taper la viande des mains pour imprégner les herbes et les épices dans la chair. Les badigeonner d'huile, puis les réserver 1 heure.
2. Préchauffer le barbecue à feu élevé. Lorsqu'il est bien chaud, gratter la grille, puis baisser le feu à moyen-élevé. Déposer les côtelettes d'agneau sur la grille, puis les cuire 4-6 minutes de chaque côté selon la cuisson désirée. Les retirer du gril, puis les réserver enveloppées dans une grande feuille de papier d'aluminium.
3. Mettre les feuilles d'endives et de laitue dans un bol à salade, puis mouiller au goût avec la vinaigrette tomatée piquante. Bien mélanger, puis répartir la salade dans quatre grandes assiettes. Dégraisser les côtelettes d'agneau, puis couper la chair en tranches minces. Répartir les tranches d'agneau sur le dessus de chaque portion de salade, puis décorer de quartiers de tomates. Accompagner de pain à l'ail. Servir immédiatement.

VINAIGRETTE TOMATÉE PIQUANTE

4. Mettre les cinq premiers ingrédients dans un petit bol, puis ajouter une petite pincée de piment de Cayenne. Saler et poivrer au goût, puis incorporer l'huile d'olive en filet tout en fouettant.
5. Couvrir, puis réserver au réfrigérateur jusqu'au moment de servir. Laisser revenir à la température de la pièce avant d'utiliser.

Entrées

GASPACHO EXPRESS AU MELON MIEL 4 PORTIONS

1	boîte de 28 oz (796 ml) de tomates
2	carottes moyennes, pelées et coupées en morceaux
½	concombre anglais pelé et coupé en morceaux
1 c. à soupe 15 ml	sauce Worcestershire
1 c. à thé 5 ml	sauce forte
1 c. à soupe 15 ml	moutarde de Dijon
3 c. à soupe 45 ml	vinaigre de vin
4 c. à soupe 60 ml	huile d'olive
	Chair de ½ melon miel coupée en morceaux
	Sel de mer et poivre
	Petits cubes de melon miel (décoration)

CONSEIL DE CHEF

Le sel de mer, qu'il soit en cristaux ou moulu, a un goût subtil. Il permet d'assaisonner et de faire ressortir les différentes saveurs du mets comparativement au sel de table qui peut les masquer en ajoutant uniquement un goût salé.

1. Mettre tous les ingrédients, sauf les petits cubes de melon, dans un mélangeur, puis saler et poivrer généreusement. Réduire jusqu'à l'obtention d'une préparation assez lisse mais ayant encore de petits morceaux de légumes.
2. Transvider dans une soupière ou un beau bol de présentation, puis servir directement à table dans des bols individuels. Garnir chaque portion de petits cubes de melon et accompagner de croûtons. Laisser les gens assaisonner au goût leur gaspacho de sel de mer, de poivre ainsi que des sauces forte et Worcestershire.

VELOUTÉ D'ARTICHAUTS ET DE CREVETTES 4-6 PORTIONS

2 c. à soupe 30 ml	beurre demi-sel
1	oignon haché
2	pommes de terre pelées et coupées en cubes
1 c. à thé 5 ml	cumin moulu
1 c. à soupe 15 ml	menthe fraîche hachée
1 tasse 250 ml	cœurs d'artichauts frais ou en boîte, égouttés et hachés
2 tasses 500 ml	lait 2 %
1 tasse 250 ml	bouillon de légumes
1 tasse 250 ml	crevettes cuites, décortiquées et hachées
	Jus de deux citrons
	Sel et poivre

CONSEIL DE CHEF

Vous pouvez facilement alléger vos recettes de crèmes ou de potages en remplaçant la crème 35 % ou 15 % par du lait 2 %. Elles seront légèrement plus liquides et moins crémeuses, mais tout aussi alléchantes. Pour décorer et aromatiser vos soupes et potages, garnissez le dessus de chaque portion avec 1 c. à soupe (15 ml) de yogourt que vous étendrez ensuite esthétiquement avec un couteau ou une fourchette dans le but de créer une forme attrayante.

1. Dans une casserole, faire revenir l'oignon et les pommes de terre dans le beurre, à feu moyen, 2 minutes. Ajouter le cumin et la menthe fraîche, puis continuer la cuisson 3 minutes. Ajouter les cœurs d'artichauts, le lait, le bouillon de légumes, les deux tiers des crevettes et le jus de citron, puis porter le tout à ébullition. Baisser le feu à moyen-doux, puis laisser mijoter 20 minutes.
2. Transvider la préparation dans un mélangeur. La réduire en purée, puis la remettre dans la casserole. Saler et poivrer au goût. Porter de nouveau à ébullition en brassant souvent. Retirer la casserole du feu, puis verser le velouté dans des bols individuels. Garnir chaque portion d'un peu de crevettes hachées, puis servir immédiatement.

VELOUTÉ FROID AUX POIRES ET AU COTTAGE 4-6 PORTIONS

2 tasses 500 ml	**bouillon de légumes**
2 tasses 500 ml	**lait 2 %**
½	**petit oignon jaune haché**
2	**poires bien mûres, pelées, parées et coupées en cubes**
1 ½ tasse 375 ml	**fromage cottage**
	Sel et poivre du moulin
1	**poire coupée en deux, parée, puis tranchée en éventail**

1. Dans une casserole moyenne, porter à ébullition le bouillon, le lait et l'oignon à feu moyen-élevé. Retirer la casserole du feu, puis couvrir. Laisser refroidir 15-20 minutes. Ajouter les cubes de poires et les trois quarts du fromage cottage. Saler et poivrer au goût.
2. Transvider la préparation dans un mélangeur, puis réduire jusqu'à l'obtention d'un velouté lisse et homogène. Servir immédiatement tiède ou réfrigérer le velouté au moins 2 heures avant de le servir froid. Garnir chaque portion de quelques tranches de poires et d'un peu de fromage cottage. Cette recette peut être préparée quelques jours à l'avance et réfrigérée.

CROUSTILLANTS AU PESTO ET À L'EMMENTAL 6 PORTIONS

1	**pâte à pizza mince du commerce de 10-12 po (25-30 cm) ou des pitas**
½-⅔ tasse 125-160 ml	**pesto du commerce**
1 tasse 250 ml	**fromage emmental râpé**
	Amandes émincées
	Olives noires dénoyautées et tranchées
	Poivre noir du moulin
	Herbes fraîches au choix, ciselées

1. Vous pouvez utiliser des pitas ou tout autre type de pain sans levure pour faire cette recette. Toutefois, soyez vigilant quand vous les grillez au barbecue, car certains brûlent plus vite que d'autres. Couper la pâte à pizza en 6- 8 morceaux inégaux, puis les badigeonner d'une mince couche de pesto. Les couvrir d'un peu de fromage râpé, puis les garnir de quelques amandes émincées et de tranches d'olives. Poivrer au goût.
2. Préchauffer le barbecue à feu moyen-doux. Bien nettoyer et huiler la grille. Déposer les morceaux de pizza délicatement sur le gril. Couvrir et cuire 7-10 minutes. Vérifier le dessous des morceaux de pizza à quelques reprises afin de s'assurer qu'ils ne brûlent pas.
3. Retirer du feu, puis garnir d'herbes fraîches au choix. Servir immédiatement comme entrée ou canapés.

TECHNIQUES DE PRÉPARATION ET DE GRILLAGE DU PAIN AU BARBECUE

Coupez du pain frais (au choix) en tranches ou en morceaux épais. Tartinez-les de beurre parfumé ou badigeonnez-les d'huile aromatisée d'un seul côté. N'hésitez pas à essayer différents types et formes de pain. Le pain artisanal provenant des boulangeries spécialisées est de qualité supérieure en plus d'être très savoureux. Quelques-unes d'entre elles offrent également des pains fabriqués avec des farines spéciales, comme le kamut ou l'épeautre, ou même des pains sans gluten.

Préchauffez le barbecue à feu moyen, puis nettoyez bien la grille. Déposez les morceaux de pain sur le gril. Faites-les dorer de 2 à 3 minutes de chaque côté, en les vérifiant fréquemment pour qu'ils ne brûlent pas. Retirez-les du gril et servez-les sans tarder.

PETITES BROCHETTES DE FILET DE PORC GRATINÉES **4-6 PORTIONS**

½ lb 227 g	filet de porc tranché en 12 morceaux
5 oz 140 g	prosciutto tranché mince
12	morceaux de baguette
12	carrés de poivron vert
	Huile d'olive
	Sel et poivre
	Romarin sec
¼ lb 115 g	fromage brie tranché

1 Enrouler chaque morceau de porc avec une demi-tranche de prosciutto, puis les réserver sur une assiette. Monter six brochettes en alternant les morceaux de baguette, les morceaux de porc enrobés de prosciutto et les morceaux de poivron.

2 Badigeonner les brochettes avec un peu d'huile, puis les assaisonner au goût de sel, de poivre et de romarin. Les déposer sur le gril, puis les cuire à feu moyen, environ 10 minutes, en les tournant au besoin. Trois minutes avant la fin de la cuisson, déposer les tranches de brie sur les brochettes. Couvrir, puis terminer la cuisson. Servir immédiatement comme entrée, sur un lit de salade.

CONSEIL DE CHEF

Les produits laitiers, riches en calcium, ont toujours été associés à des os en santé. Cependant, les fruits et les légumes jouent aussi un rôle important. Selon une étude anglaise portant sur des femmes d'âge moyen, certains nutriments qui abondent dans les fruits et les légumes tels que le potassium, le magnésium, le bêta-carotène, la vitamine C et les fibres sont aussi associés à des os en bonne santé. De plus, certaines feuilles de légumes foncés ainsi que le brocoli contiennent des quantités non négligeables de calcium.

CROUSTILLANTS DE VEAU FROMAGÉ 4 PORTIONS

1	baguette coupée sur la longueur, puis en deux sur la largeur
	Huile d'olive
	Assaisonnement à l'italienne
½ lb 227 g	veau dégraissé et coupé en fines languettes
1	grosse tomate parée, épépinée et coupée en petits cubes
½	oignon moyen haché
	Sel et poivre du moulin
1 tasse 250 ml	fromage mozzarella râpé
½ tasse 125 ml	fromage parmesan râpé

CONSEIL DE CHEF

Pour épépiner rapidement une tomate, retirez le pédoncule, coupez-la en deux horizontalement, puis écrasez délicatement chaque demi-tomate. Enlevez le pédoncule de la tomate uniquement après l'avoir lavée pour qu'elle n'absorbe pas d'eau inutilement.

1. Bien badigeonner le dessus des quatre morceaux de baguette d'huile d'olive, puis les saupoudrer d'assaisonnement à l'italienne. Les griller sur le barbecue quelques minutes de chaque côté ou jusqu'à ce qu'ils soient bien dorés. Les retirer du gril, puis les réserver.

2. Enfiler les languettes de veau sur des brochettes, puis les griller quelques minutes au barbecue, à feu moyen-élevé, en les tournant à quelques reprises. Placer les morceaux de baguette sur une plaque. Les garnir de languettes de veau, de cubes de tomate et d'oignon haché, puis les saler et les poivrer au goût. Les couvrir de mozzarella, puis de parmesan.

3. Mettre la plaque sur l'étage central du four, puis gratiner les baguettes à « broil » 2-3 minutes ou jusqu'à ce que les fromages soient fondus et légèrement colorés.

4. Retirer du four, puis servir immédiatement un morceau de baguette par personne. Accompagner de tranches d'avocat à la vinaigrette.

TOMATES GRILLÉES AU FROMAGE SUR JAMBON SÉCHÉ 4 PORTIONS

4	**tomates moyennes pas trop mûres**
1-1 ½ tasse 250-375 ml	**fromage ricotta**
4-6 c. à soupe 60-90 ml	**fromage roquefort émietté**
2	**échalotes vertes tranchées**
	Poivre du moulin
¼ lb 115 g	**jambon séché tranché mince (Bayonne, prosciutto, etc.)**
1	**grappe de raisins verts sans pépins**

1. Couper une calotte sur le dessus de chaque tomate. À l'aide d'une petite cuillère, évider chacune d'elles le plus possible tout en évitant de percer les parois. Réserver. Préchauffer le barbecue à feu moyen-élevé.
2. Dans un bol, bien mélanger les deux fromages et les échalotes. Poivrer au goût. Remplir les coquilles de tomates de ce mélange, puis les déposer sur la grille huilée du barbecue. Baisser immédiatement le feu à moyen-doux, puis couvrir. Cuire 6-8 minutes.
3. Entre-temps, déposer quelques tranches de jambon fumé dans le fond de quatre assiettes. Une fois les tomates cuites, en placer une au centre de chaque assiette, sur le jambon. Disposer esthétiquement des raisins autour de chaque tomate. Servir immédiatement.

TARTINADES CLASSIQUES FRANÇAISES

PISTOU

1-1 ½ tasse (250-375 ml)

5	**gousses d'ail écrasées**
⅔ tasse 160 ml	**feuilles de basilic frais, hachées finement**
	Sel
3 c. à soupe 45 ml	**noix de pin grillées (facultatif)**
	Huile d'olive
	Fromage parmesan fraîchement râpé

1. Mettre l'ail et les feuilles de basilic dans un petit bol à fond plat. Saler légèrement, puis ajouter les noix de pin. Avec le dos d'une petite cuillère de bois, écraser le mélange le plus possible. Intégrer de l'huile d'olive en filet, tout en mélangeant, selon les goûts et la consistance désirée.
2. Le pistou doit avoir une consistance légèrement plus liquide qu'un pesto. Ajouter un peu de fromage parmesan au goût. Verser le pistou dans un contenant hermétique, puis le réfrigérer quelques jours avant de le consommer pour donner le temps aux saveurs de s'amalgamer. Excellent pour accompagner les pâtes, le poisson et le pain grillé.

AÏOLI

1 tasse (250 ml)

6	**grosses gousses d'ail très fraîches, dégermées**
¾ c. à thé 4 ml	**sel de mer**
2	**gros jaunes d'œufs**
1 tasse 250 ml	**huile d'olive au choix**

1. Mettre les gousses d'ail dans un mortier assez grand, puis les écraser vigoureusement avec le sel en utilisant un pilon. Vous pouvez remplir le mortier d'eau bouillante avant cette opération, puis le vider et l'assécher pour faciliter le tout.
2. Incorporer les jaunes d'œufs un à un en continuant d'écraser le tout. Verser l'huile très lentement, tout en travaillant le mélange, jusqu'à l'obtention d'une consistance de mayonnaise. Ajouter un peu plus de sel au goût, puis réfrigérer jusqu'au moment d'utiliser. Excellent pour accompagner le poisson, les salades et le pain.

TAPENADE

1 ⅓ tasse (330 ml)

½ lb 227 g	**olives noires en vrac, au choix**
8	**filets d'anchois dans l'huile**
3 c. à soupe 45 ml	**câpres égouttées**
3	**gousses d'ail pelées, coupées en deux et dégermées**
	Poivre noir du moulin
½ tasse 125 ml	**huile d'olive**

1. Dénoyauter les olives, puis mettre la chair dans un robot culinaire. Y ajouter les trois autres ingrédients, puis poivrer selon les goûts. Réduire le mélange jusqu'à l'obtention d'une pâte épaisse. Incorporer l'huile en filet tout laissant fonctionner le robot. La tapenade est prête lorsqu'elle a atteint une texture légèrement plus consistante que celle d'un pesto.
2. Incorporer un peu plus d'huile au besoin et au goût. Verser la tapenade dans un contenant hermétique, puis réfrigérer préférablement quelques jours avant de consommer pour laisser le temps aux saveurs de s'amalgamer. Cette tartinade est idéale pour des canapés, sur du pain grillé ou comme sauce pour les pizzas et les pâtes.

CROÛTONS AU BRIE ET À LA TARTINADE AUX ANCHOIS 4 PORTIONS

	Mesclun
8	tranches épaisses de baguette coupées en angle
8	tranches de fromage brie
	Jus d'une lime
	Huile d'olive
	Sel et poivre du moulin
	Fraises fraîches

TARTINADE AUX ANCHOIS

¼ tasse 60 ml	anchois dans l'huile en boîte, égouttés
¼ tasse 60 ml	thon dans l'huile en boîte, égoutté
½ tasse 125 ml	olives noires dénoyautées et égouttées
	Pincée de romarin moulu
1 c. à soupe 15 ml	amandes moulues
	Huile d'olive vierge extra

CONSEIL DE CHEF

Les olives vendues en vrac dans l'huile (marinées) ou la saumure sont généralement beaucoup plus tendres et savoureuses que celles vendues en conserve ou en boîte. Aussi, le choix est beaucoup plus varié : séchées, grosses, vertes ou noires, dans l'huile épicée, Kalamata, etc. Procurez-vous un dénoyauteur à olives afin de rendre cette tâche simple et rapide. Informez-vous auprès de la cuisinerie de votre quartier.

1 Préchauffer le barbecue à feu moyen. Disposer un fond de mesclun dans quatre assiettes. Les réserver. Cuire un côté des tranches de baguette sur la grille huilée du barbecue 2-3 minutes ou jusqu'à ce qu'elles soient bien croustillantes. Les tourner, puis les tartiner d'un peu de tartinade aux anchois. Déposer un morceau de brie sur chaque tranche. Fermer le couvercle et le feu du barbecue, puis laisser fondre le fromage 3-4 minutes.

2 Retirer les tranches de pain du gril, puis en déposer deux au centre de chaque assiette. Mouiller le mesclun avec du jus de lime et de l'huile d'olive au goût, puis saler et poivrer au goût. Garnir de fraises fraîches. Servir immédiatement.

TARTINADE AUX ANCHOIS

3 Mettre tous les ingrédients, sauf l'huile d'olive, dans un robot culinaire. Ajouter un peu d'huile d'olive, puis réduire en purée uniforme. Incorporer un peu plus d'huile selon les goûts et la consistance désirée. La tartinade doit avoir une texture de ketchup consistant. Transvider dans un bol, puis couvrir. Réserver au réfrigérateur.

BROCHETTES DE HAVARTI ET DE BACON 4 PORTIONS

16	gros cubes de fromage havarti
8	tranches de bacon coupées en quatre
4	brochettes de bambou trempées 30 minutes dans l'eau
	Mesclun
	Champignons marinés

1. Mettre les cubes de fromage sur une assiette, puis les congeler 2 heures.
2. Préchauffer le barbecue à feu moyen. Enrouler fermement chaque cube de fromage de deux morceaux de bacon, une tranche dans chaque sens, de façon à recouvrir entièrement les cubes de fromage.
3. Enfiler rapidement quatre cubes de fromage par brochette, puis les griller 7-8 minutes ou jusqu'à ce que le bacon soit croustillant et que le fromage commence tout juste à fondre. Les tourner à quelques reprises durant la cuisson. Retirer du feu, puis servir immédiatement sur un lit de mesclun. Accompagner de champignons marinés.

CONSEIL DE CHEF

Un dicton dit qu'il faut quatre personnes pour faire une salade : une prodigue pour l'huile, un avare pour le vinaigre, un sage pour le sel et un fou pour la brasser. En d'autres mots, il faut d'abord huiler, puis mélanger légèrement afin que les feuilles soient recouvertes d'une fine pellicule grasse. Ensuite, on ajoute le vinaigre et, enfin, le sel et le poivre. La pellicule grasse empêchera le vinaigre et le sel de ramollir les feuilles de laitue. On mouille toujours la salade au dernier moment.

DEMI-HOMARDS À LA LIME ET À L'AVOCAT 4 PORTIONS

2	homards frais d'environ 1 ½ lb (680 g) chacun	⅔ tasse 160 ml	chair d'avocat écrasée
	Huile d'olive		Jus d'une lime
	Herbes fraîches au choix, hachées		Poivre du moulin

1. Faire bouillir les homards 5 minutes dans une grande casserole remplie d'eau bouillante salée. Les égoutter, puis les déposer sur une surface de travail.
2. Couper les homards en deux dans le sens de la longueur. Faire des incisions dans la carapace le long des pinces avec un gros couteau. Badigeonner l'intérieur des queues d'huile d'olive, puis les saupoudrer d'herbes fraîches.
3. Cuire les demi-homards sur le gril, à feu moyen, 10-15 minutes au total, en les tournant quelques fois durant la cuisson. Vers la fin de la cuisson, étendre une couche de chair d'avocat préalablement mélangée avec le jus de lime sur le côté intérieur des queues. Assaisonner de poivre du moulin, puis servir immédiatement. Décorer de quartiers de lime.

CONSEIL DE CHEF

La cuisson du homard sur le gril est délicate : une cuisson insuffisante rendra la chair difficile à extirper, tandis qu'une cuisson excessive diminuera considérablement son volume et la rendra élastique. Vérifiez bien la cuisson en examinant une articulation. Pour des résultats garantis, faites d'abord bouillir le homard pendant 5 minutes avant de le couper en deux sur la longueur, puis de le griller.

CALMARS ET MOULES GRILLÉS SUR LIT DE LÉGUMES AU MIEL 4 PORTIONS

⅔ lb 300 g	calmars frais, parés et coupés en gros morceaux	2	tomates parées et tranchées
20	moules fraîches et nettoyées	1	gros oignon rouge tranché
	Vin blanc	3 c. à soupe 45 ml	miel liquide
	Sel et poivre		Vinaigre balsamique
	Huile d'olive		

1. Dans une casserole contenant un fond d'eau et un peu de vin, étuver les morceaux de calmars et les moules 3 minutes. Saler et poivrer au goût. Égoutter les morceaux de calmars et retirer la chair des moules. Enfiler la chair des moules et les morceaux de calmars sur quatre brochettes. Les badigeonner d'huile d'olive, les déposer sur le barbecue, puis les griller quelques minutes de chaque côté.
2. Entre-temps, mettre les tranches de tomates et d'oignon au centre d'une grande feuille de papier d'aluminium. Mouiller avec le miel, un peu d'huile et un peu de vinaigre balsamique. Fermer la papillote, les déposer sur le barbecue, puis la cuire 15 minutes à feu moyen.
3. Retirer la papillote du feu. Répartir les tranches de légumes au fond de quatre assiettes. Mettre une brochette de calmars et de moules au centre de chaque portion, puis mouiller au goût avec les jus de cuisson des légumes. Saler et poivrer au goût. Servir immédiatement.

CONSEIL DE CHEF

Il est toujours préférable de bien nettoyer vos mollusques avant de les cuire ou de les consommer frais. Vous n'avez qu'à les déposer dans un évier, puis à les frotter avec une petite brosse sous l'eau courante. Ceci est spécialement recommandé pour les huîtres, mais cela vaut aussi pour les moules, qui contiennent beaucoup de terre dans les interstices. En les nettoyant bien, vous éviterez d'y introduire des impuretés lorsque vous les ouvrirez.

FETA À L'AIL ET AUX TOMATES SÉCHÉES EN CROÛTE 4-6 PORTIONS

1	petit pain rond
1	gros cube de fromage feta d'environ ⅔ lb (300 g)
2	gousses d'ail hachées finement
½ tasse 125 ml	tomates séchées dans l'huile, hachées
	Sel et poivre
	Huile d'olive
⅓ tasse 80 ml	noix de pin grillées

1. Préchauffer le four à « broil ». Découper une calotte sur le dessus du petit pain. L'évider le plus possible et ne conserver que la croûte. Déposer le cube de feta dans la croûte de pain. Garnir uniformément le dessus du fromage d'ail et de tomates séchées, puis l'assaisonner légèrement de sel et de poivre. Mouiller avec un peu d'huile d'olive.

2. Déposer le pain garni sur une plaque allant au four, puis la glisser sur l'étage central du four. Griller quelques minutes jusqu'à ce que le fromage commence à être bien mou et que le dessus pétille. Retirer du four, puis garnir de noix de pin grillées. Servir immédiatement le pain garni tel quel au centre de la table. Les convives se servent eux-mêmes avec une petite cuillère. Accompagner de tranches de pain grillées et de crudités.

TREMPETTES EXPRESS

TREMPETTE AUX ÉPINARDS

4 tasses (1 L)

1 lb 454 g	épinards congelés, décongelés
1 tasse 250 ml	châtaignes d'eau en boîte, égouttées
9 oz 250 g	fromage à la crème, ramolli
1 tasse 250 ml	yogourt à 10 % M.G.
2 c. à soupe 30 ml	vin blanc ou crème 15 %
3	gousses d'ail dégermées
2 c. à thé 10 ml	moutarde forte
1 c. à thé 5 ml	sel de céleri

1. Bien essorer les épinards, puis les mettre dans un robot culinaire avec le reste des ingrédients. Réduire la préparation jusqu'à l'obtention d'une trempette homogène et moyennement lisse.

2. Transvider la trempette dans deux bols de présentation, puis servir immédiatement avec des crudités, des craquelins et des pitas grillés. Cette trempette se conserve une semaine dans un contenant hermétique.

HOUMMOS ROUGE ÉPICÉ

12-16 portions

2	boîtes de 19 oz (540 ml) de pois chiches bien égouttés
7	gousses d'ail dégermées
2 c. à soupe 30 ml	tahini (beurre de graines de sésame en vente dans les boutiques spécialisées)
4 c. à soupe 60 ml	huile d'olive
1 tasse 250 ml	poivron rouge grillé, paré et coupé en quartiers
2-3 c. à thé 10-15 ml	sauce harissa
	Jus de deux gros citrons
	Paprika
	Sel et poivre
	Huile épicée

1. Bien assécher les pois chiches avec des essuie-tout. Les mettre avec le reste des ingrédients, sauf l'huile épicée, dans un robot culinaire. Assaisonner généreusement de paprika, de sel et de poivre. Réduire le tout jusqu'à l'obtention d'une purée lisse et crémeuse.

2. Verser le hoummos dans deux bols de présentation, puis mouiller le dessus avec un léger filet d'huile épicée. Accompagner de crudités et de pain sans levure au choix. Cette trempette se conserve une semaine dans un contenant hermétique.

TREMPETTE AU BLEU ET À LA CIBOULETTE

2 tasses (500 ml)

3 c. à soupe 45 ml	xérès ou vin liquoreux
1 c. à soupe 15 ml	flocons d'oignon déshydratés
½ c. à thé 2,5 ml	graines de carvi (facultatif)
½ lb 227 g	fromage bleu coupé en morceaux
1 tasse 250 ml	crème sure
⅓ tasse 80 ml	ciboulette fraîche ciselée finement
2 c. à soupe 30 ml	crème 35 %
½ c. à thé 2,5 ml	poivre noir moulu

1. Mettre les trois premiers ingrédients dans un bol, puis mélanger. Réserver 15 minutes.

2. Mettre le fromage bleu et la crème sure dans un robot culinaire, puis réduire jusqu'à l'obtention d'un mélange homogène et crémeux. Ajouter le mélange à base de xérès réservé, puis réduire 15 secondes de plus. Ajouter la ciboulette, la crème et le poivre, puis mélanger juste ce qu'il faut pour incorporer le tout (ne pas réduire).

3. Transvider la trempette dans deux bols de présentation, puis servir immédiatement. Accompagner de crudités, de tranches de pain grillées et de bretzels.

AVOCATS À LA PURÉE DE CÂPRES ET DE TOMATES SÉCHÉES 4 PORTIONS

2	gros avocats
	Jus de lime ou de citron

PURÉE DE CÂPRES ET DE TOMATES SÉCHÉES

½ tasse 125 ml	câpres égouttées
½ tasse 125 ml	tomates séchées dans l'huile, hachées
¼ tasse 60 ml	huile d'olive
1	gousse d'ail
	Sel et poivre

CONSEIL DE CHEF

Lorsque vous servez des trempettes durant la période estivale, accompagnez-les de crudités diverses (poivrons de couleur, brocoli, carottes, etc.) plutôt que de croustilles, de croustilles de tortillas ou autres aliments frits. Non seulement ce sera plus léger, mais vous fournirez aussi à vos invités une excellente portion de légumes savoureux. Vous pouvez également les accompagner de craquelins divers, de quartiers de pitas grillés ou de bretzels ; ceux-ci sont cuits au four et beaucoup plus faibles en gras.

1 Couper les avocats en deux. Retirer les noyaux, puis asperger l'intérieur de jus de lime ou de citron. Déposer quelques cuillérées de purée de câpres et de tomates séchées dans chaque avocat. Servir immédiatement un demi-avocat par personne. Accompagner de craquelins. Garnir d'une branche de persil frais et de quartiers de citron.

PURÉE DE CÂPRES ET DE TOMATES SÉCHÉES

2 Mettre tous les ingrédients dans un robot culinaire, puis saler et poivrer au goût. Réduire jusqu'à l'obtention d'une purée lisse et uniforme. Couvrir, puis réserver au réfrigérateur.

ANTIPASTO ET AÏOLI 4-6 PORTIONS

1	boîte de 14 oz (398 ml) de cœurs de palmier égouttés
⅔ tasse 160 ml	cœurs d'artichauts marinés en quartiers, égouttés
⅓ lb 150 g	tranches de salami au choix, roulées
12	tomates cerises entières ou coupées en deux
12-16	cubes de fromage ferme (gruyère, gouda, havarti, etc.)
⅔ tasse 160 ml	olives marinées au choix, égouttées
	Petites languettes de filet de poisson fumé au choix
	Quelques languettes de poivron grillé
	Quelques filets d'anchois dans l'huile, égouttés
	Tranches de baguette grillées

AÏOLI

4	grosses gousses d'ail dégermées
1	jaune d'œuf
2 c. à soupe 30 ml	jus de citron
	Sel et poivre
1 tasse 250 ml	huile d'olive

CONSEIL DE CHEF
Ajoutez un peu de jus de citron, de bouillon, d'eau chaude ou de crème 10 % à vos trempettes (selon ce qui convient le mieux à la recette) pour les transformer en une surprenante sauce d'accompagnement pour vos grillades ou pâtes.

1 Disposer esthétiquement tous les ingrédients sur une grande assiette de service, puis déposer au centre un bol d'aïoli. Servir directement à table, puis laisser les convives se servir eux-mêmes. Accompagner de tranches de baguette grillées.

AÏOLI

2 Mettre les gousses d'ail dans un mortier, puis les piler jusqu'à l'obtention d'une pâte assez lisse. Transvider la pâte dans un bol moyen, puis ajouter le jaune d'œuf et le jus de citron. Saler et poivrer au goût, puis bien fouetter.

3 Incorporer l'huile en filet tout en fouettant. Fouetter jusqu'à l'obtention d'une consistance de mayonnaise bien homogène. Couvrir, puis réserver au réfrigérateur. Excellent pour accompagner des crudités, du pain grillé, du poisson, etc.

Plats d'accompagnement et légumes grillés

ASPERGES ET POIVRONS AUX POMMES CITRONNÉES 6 PORTIONS

2	poivrons de couleurs différentes
2	pommes à cuisson pelées, parées et tranchées
	Jus de deux citrons
1 lb 454 g	asperges vertes fraîches, parées
	Morceaux de zeste de citron
½ c. à thé 2,5 ml	poudre d'ail
	Poivre noir du moulin
2 c. à soupe 30 ml	beurre en morceaux

CONSEIL DE CHEF

Le papier d'aluminium extrafort (épais) est le meilleur ami de l'amateur de barbecue. Il sert à la fabrication de papillotes dans lesquelles on fait cuire les légumes, les fruits de mer et certains poissons. On l'utilise aussi pour la fabrication de lèchefrites qu'on dépose sur les briquettes afin de recueillir les jus de cuisson provenant des pièces de viande cuites au tournebroche. On préviendra ainsi les flambées soudaines tout en réduisant le contact direct entre le gaz carbonique s'échappant des flammes et la viande. Les moules d'aluminium préfabriqués font également très bien l'affaire.

1. Préchauffer le barbecue à feu moyen. Couper les poivrons en deux, puis les parer. Les couper en languettes, puis les réserver. Déposer les tranches de pommes au centre d'une feuille de papier d'aluminium. Les asperger du jus d'un citron. Recouvrir des asperges, puis des languettes de poivrons.

2. Garnir de quelques morceaux de zeste de citron, refermer partiellement la papillote, puis mouiller le tout avec le jus du second citron. Saupoudrer de poudre d'ail, poivrer au goût, puis garnir de beurre.

3. Sceller la papillote, puis la déposer au centre de la grille du barbecue. Couvrir, puis cuire la papillote à feu moyen 10-12 minutes ou jusqu'à ce que les asperges soient tendres mais encore légèrement croustillantes. Retirer la papillote du feu, puis servir immédiatement avec le jus de cuisson.

SAUTÉ DE HARICOTS À L'AIL ET AUX TOMATES 4 PORTIONS

1 lb 454 g	haricots verts et jaunes frais, parés	1	grosse gousse d'ail hachée finement	2	tomates coupées en dés
1 c. à soupe 15 ml	huile d'olive		Jus d'un demi-citron		Marjolaine fraîche
½	oignon haché	*2 c. à soupe* 30 ml	vinaigre de vin rouge		Basilic frais
					Sel et poivre

1 Cuire les haricots 5 minutes dans un bon fond d'eau bouillante. Les égoutter, puis les réserver.

2 Dans une casserole, faire revenir l'oignon et l'ail dans l'huile à feu moyen. Ajouter le jus de citron et le vinaigre de vin, puis cuire 2 minutes en brassant. Ajouter les dés de tomates et les haricots réservés, puis assaisonner au goût de marjolaine, de basilic, de sel et de poivre. Bien mélanger, puis cuire 3 minutes de plus. Transvider les légumes dans un plat de service. Servir immédiatement.

POMMES DE TERRE ACCORDÉON GRILLÉES 4 PORTIONS

4	pommes de terre longues bien lavées		Huile d'olive		Assaisonnement à l'italienne
			Sel et poivre	4	tiges de romarin frais

1 Préchauffer le barbecue à feu moyen-doux. Bien gratter la grille. Couper les pommes de terre en tranches minces parallèles sur les ¾ de l'épaisseur. Les tranches doivent rester en contact avec la base de la pomme de terre. Les mouiller avec de l'huile d'olive, puis les assaisonner au goût de sel, de poivre et d'assaisonnement à l'italienne. Insérer 2-3 feuilles de romarin entre les tranches de chaque pomme de terre, puis déposer les pommes de terre sur la grille du barbecue.

2 Couvrir partiellement le barbecue et cuire les pommes de terre 40 minutes ou jusqu'à ce qu'une fourchette pénètre la chair assez facilement. Retirer les pommes de terre du gril, puis en servir une par portion. Accompagner de crème sure.

RIZ AUX ÉPINARDS ET AU FETA 6 PORTIONS

1 c. à soupe 15 ml	beurre
1	oignon rouge haché
2	gousses d'ail hachées
1 tasse 250 ml	champignons nettoyés et tranchés
2	branches de céleri tranchées
	Jus d'un demi-citron
1 tasse 250 ml	riz blanc
2 tasses 500 ml	eau
3 tasses 750 ml	épinards nettoyés, essorés et déchiquetés
¼ lb 115 g	fromage feta coupé en dés
	Sel et poivre
	Cumin moulu
	Origan sec

CONSEIL DE CHEF **Le riz sauvage n'est pas un riz mais plutôt une céréale (famille des graminées) originaire de l'Amérique du Nord. Cultivé dans les États de la Californie et du Minnesota, le riz sauvage se trouve maintenant dans la plupart des supermarchés. Avec un goût plus prononcé et dégageant des arômes de noix, il contient moins de calories que le riz blanc (environ 35 % moins) et plus de protéines. Une fois cuit, il donnera le double du volume du riz blanc, ce qui justifie amplement son coût plus élevé. Pourquoi ne pas l'essayer ?**

1 Dans une casserole, faire revenir l'oignon, l'ail, les champignons et le céleri dans le beurre à feu moyen. Mouiller avec le jus de citron, puis cuire 2 minutes de plus. Ajouter le riz blanc et l'eau, puis porter le tout à ébullition. Couvrir, puis baisser le feu à doux. Cuire 20 minutes ou jusqu'à ce que l'eau soit totalement absorbée. Retirer la casserole du feu.

2 Incorporer les épinards au riz, puis bien mélanger. Couvrir et laisser reposer 5 minutes. Ajouter le feta, puis assaisonner au goût de sel, de poivre, de cumin et d'origan. Bien mélanger. Servir immédiatement.

CHAMPIGNONS PORTOBELLO GRILLÉS À L'AIL **4 PORTIONS**

4-8	champignons portobello (selon la grosseur disponible)	*3 c. à soupe* 45 ml	coriande fraîche ciselée
¼ tasse 60 ml	vin blanc sec	3	gousses d'ail hachées finement
4 c. à soupe 60 ml	huile d'olive		Sel et poivre

1 Retirer les pieds des champignons, puis déposer les têtes, côté ouvert vers le haut, dans un grand plat. Réserver. Dans un bol, bien fouetter le reste des ingrédients. Saler et poivrer généreusement. Verser cette marinade sur les têtes de champignons. Couvrir, puis laisser mariner 2-4 heures. Mouiller quelques fois les champignons avec la marinade durant le marinage.

2 Préchauffer le barbecue à feu moyen. Bien nettoyer la grille, puis la huiler. Déposer les champignons sur la grille, puis les cuire 6-8 minutes de chaque côté. Les badigeonner de marinade après les avoir retournés. Retirer les champignons du gril, puis les trancher en angles. Servir quelques tranches par personne.

CONSEIL DE CHEF

Voici quelques façons de créer des accompagnements express qui plairont à tous, en toute simplicité : ajoutez 1 ½ c. à soupe (22,5 ml) de pesto au choix pour chaque tasse (250 ml) de riz blanc; agrémentez vos pommes de terre cuites sur le gril d'une vinaigrette du commerce ou maison; glacez vos haricots verts ou carottes étuvées avec 1 c. à soupe (15 ml) de beurre ou d'huile d'olive, 1 c. à thé (5 ml) de miel, de la poudre d'ail ou d'oignon ainsi que du sel au goût.

TRANCHES DE PATATES DOUCES À LA MOUTARDE DE DIJON **4 PORTIONS**

2	patates douces pelées	*2 c. à soupe* 30 ml	moutarde de Dijon
½ tasse 125 ml	jus de pomme	*2 c. à thé* 10 ml	flocons d'oignon déshydratés
¼ tasse 60 ml	huile d'olive		Sel et poivre
3 c. à soupe 45 ml	cassonade dorée		

1 Bien nettoyer les patates douces. Les couper en deux, puis les cuire 20 minutes dans l'eau bouillante. Les égoutter, puis les laisser refroidir légèrement. Les couper en tranches d'environ ¼ po (1,25 cm) d'épaisseur. Déposer les tranches dans un plat, puis les piquer à plusieurs endroits avec une fourchette. Réserver. Dans un bol, bien mélanger le reste des ingrédients. Saler et poivrer au goût. Verser le mélange sur les tranches de patates douces, puis laisser mariner 2-3 heures.

2 Préchauffer le barbecue à feu moyen. Nettoyer la grille, puis la huiler. Déposer les tranches de patates douces sur la grille, puis les cuire 4-5 minutes de chaque côté ou jusqu'à ce qu'elles soient bien grillées et tendres. Les badigeonner de marinade après les avoir retournées. Servir quelques tranches par personne.

CONSEIL DE CHEF

La plupart des légumes se cuisent très bien directement sur la grille, qu'ils soient en brochettes ou sur une grande plaque trouée à barbecue. Si vous optez pour le premier choix, vous pouvez les cuire entiers selon leur grosseur ou les défaire en gros quartiers (plus gros que les interstices de la grille). Leur cuisson se fait généralement à feu moyen-doux, en s'assurant de bien les huiler avant de les déposer sur la grille. Vous pouvez les mariner dans un mélange d'huile et de vinaigre et les assaisonner de sel, de poivre et d'herbes sèches au goût.

ÉPIS DE MAÏS GRILLÉS AU POIVRE ET AU THYM 4 PORTIONS

8	épis de maïs parés
2 c. à thé 10 ml	poivre noir moulu finement
3 c. à thé 15 ml	thym sec
½ c. à thé 2,5 ml	sel
3 c. à soupe 45 ml	huile d'olive
3 c. à soupe 45 ml	beurre fondu

1 Couper les épis de maïs en deux, puis les faire tremper dans l'eau froide 30 minutes. Les retirer de l'eau, puis les déposer sur une grande assiette. Réserver. Mettre le reste des ingrédients dans un petit bol, puis bien fouetter. Verser également ce mélange sur les épis. Les retourner au besoin pour bien répartir le mélange. Laisser reposer 30 minutes ou plus.

2 Préchauffer le barbecue à feu moyen. Bien nettoyer la grille et la huiler généreusement. Baisser le feu à moyen-doux, puis déposer les épis assaisonnés sur la grille. Couvrir, puis cuire environ 15 minutes ou jusqu'à ce que les grains de maïs soient tendres mais encore croustillants.

3 Les tourner et les badigeonner du reste de beurre assaisonné contenu dans le fond de l'assiette (en conserver un peu pour le service) quelques fois durant la cuisson .

4 Les retirer du gril, puis en servir quatre par personne badigeonnés du reste du mélange de beurre assaisonné.

HUILES AROMATISÉES

Ces huiles aromatisées rehausseront en un tournemain toutes vos grillades de viande et de légumes. Vous pouvez également les servir à table, dans de petits bols, avant l'entrée, pour tremper du pain frais ou grillé, ou encore comme garnitures pour les pâtes ou les salades.

HUILE D'OLIVE À L'AIL

⅔ tasse (160 ml)

½ tasse 125 ml	huile d'olive vierge extra
4	gousses d'ail écrasées
1 c. à thé 5 ml	moutarde sèche
1 c. à soupe 15 ml	persil plat haché
	Sel et poivre

1 Mettre tous les ingrédients dans un contenant hermétique en verre. Saler et poivrer au goût. Couvrir, puis bien brasser. Réserver au réfrigérateur 1-2 jours pour laisser le temps aux saveurs de s'amalgamer. Laisser revenir à la température de la pièce avant d'utiliser.

HUILE DE SÉSAME À L'ORIENTALE

¾ tasse (180 ml)

⅓ tasse 80 ml	huile d'arachide
2 c. à soupe 30 ml	huile de sésame grillé
3 c. à soupe 45 ml	sauce soya
1 c. à thé 5 ml	gingembre haché finement
1-2	gousses d'ail hachées
2 c. à soupe 30 ml	graines de sésame grillées

1 Mettre tous les ingrédients dans un contenant hermétique en verre. Couvrir, puis bien brasser. Réserver au réfrigérateur 1-2 jours pour laisser le temps aux saveurs de s'amalgamer. Laisser revenir à la température de la pièce avant d'utiliser.

HUILE AUX TOMATES ET AUX OLIVES

¾ tasse (180 ml)

½ tasse 125 ml	huile d'olive
1 c. à soupe 15 ml	vinaigre de vin rouge
1 c. à soupe 15 ml	pâte de tomate
6	olives en vrac, au choix, dénoyautées
1	gousse d'ail écrasée
	Sel et poivre
2 c. à soupe 30 ml	tomates séchées dans l'huile, hachées

1 Mettre tous les ingrédients dans un robot culinaire. Saler et poivrer au goût. Réduire quelques secondes. Transvider le mélange dans un contenant hermétique. Réserver au réfrigérateur 1-2 jours pour laisser le temps aux saveurs s'amalgamer. Laisser revenir à la température de la pièce avant d'utiliser.

HUILE AU PESTO ET AU GORGONZOLA

¾ tasse (180 ml)

2 c. à soupe 30 ml	fromage gorgonzola ou fromage bleu crémeux au choix
½ tasse 125 ml	huile d'olive vierge extra
2 c. à soupe 30 ml	pesto du commerce
	Poivre noir

1 Dans un bol, écraser le gorgonzola avec une fourchette. Ajouter l'huile et le pesto tout en fouettant, puis poivrer au goût. Servir immédiatement ou couvrir, puis réserver au réfrigérateur. Laisser revenir à la température de la pièce avant d'utiliser.

COURGETTES D'ÉTÉ GRILLÉES À LA CASSONADE ET À L'ESTRAGON 4-6 PORTIONS

2	**courgettes vertes bien nettoyées**
2	**courgettes jaunes bien nettoyées**
⅓ tasse 80 ml	**jus d'orange**
½ tasse 125 ml	**cassonade compactée**
3 c. à soupe 45 ml	**estragon frais haché**

1. Couper chaque courgette en deux pour obtenir deux moitiés identiques. Déposer les demi-courgettes dans un plat en verre. Réserver. Dans un bol, bien mélanger le jus d'orange, la cassonade et l'estragon. Verser le mélange sur les courgettes. Les retourner pour bien les enrober du mélange, puis les laisser reposer 1 heure.
2. Préchauffer le barbecue à feu moyen. Nettoyer la grille, puis la huiler généreusement. Déposer les demi-courgettes sur la grille, puis les cuire quelques minutes de chaque côté ou jusqu'à ce qu'elles soient légèrement grillées. Après les avoir retournées, les badigeonner du liquide de macération restant dans le plat en verre.
3. Retirer du feu, puis servir une demi-courgette grillée de chaque couleur par personne.

CONSEIL DE CHEF

En général, si vous ne pouvez trouver une herbe fraîche en magasin, vous pouvez la remplacer par une herbe sèche en divisant la quantité par 3 ; par exemple, 1 c. à soupe (15 ml) d'herbes fraîches sera équivalente à 1 c. à thé (5 ml) d'herbes sèches. Toutefois, rappelez-vous que les herbes fraîches plus volumineuses telles que le basilic, la coriandre, la menthe, le persil, etc., auront une équivalence se rapprochant plus de 1 c. à thé (5 ml) d'herbes sèches pour 1½-2 c. à soupe (22,5-30 ml) d'herbes fraîches.

TOMATES GRILLÉES FARCIES AU BLEU 4 PORTIONS

4	**grosses tomates fermes**
2 tasses 500 ml	**riz sauvage cuit**
¼ lb 115 g	**fromage bleu émietté**
⅓ tasse 80 ml	**noix de pin grillées**
2 c. à soupe 30 ml	**huile d'olive**
	Sel et poivre

1. Couper la calotte de chaque tomate. Les évider délicatement avec une petite cuillère en s'assurant de ne pas percer les parois. Conserver la chair pour un autre usage. Réserver.
2. Dans un bol, bien mélanger le riz sauvage, le fromage, les noix de pin et l'huile. Réserver quelques petits morceaux de fromage pour la décoration. Saler et poivrer au goût. Farcir les coquilles de tomates du mélange de riz et de fromage, puis garnir le dessus de quelques petits morceaux de fromage bleu réservés.
3. Préchauffer le barbecue à feu moyen. Nettoyer la grille, puis bien la huiler. Baisser le feu à moyen-doux, puis déposer les coquilles de tomates sur la grille. Couvrir, puis cuire 15 minutes ou jusqu'à ce que les tomates soient tendres mais encore « al dente ». Baisser le feu au besoin. Servir une tomate farcie par personne.

CONSEIL DE CHEF

Avant de farcir les tomates, assaisonnez-en l'intérieur, puis retournez-les pour les égoutter pendant quelques minutes. Ainsi, les tomates ne rendront pas trop d'eau en cuisant. Si vous ne procédez pas de cette façon, ajoutez 1 c. à thé (5 ml) de riz dans la tomate avant de la farcir. Le riz absorbera le liquide excédentaire.

PETITS PAQUETS D'ASPERGES GRILLÉES, SAUCE ORANGÉE À LA MUSCADE **4 PORTIONS**

1 ¼ lb 560 g	asperges fraîches
4	grandes tranches de prosciutto
	Feuilles de basilic frais
	Sel et poivre
	Huile d'olive

SAUCE ORANGÉE À LA MUSCADE

1	petite gousse d'ail écrasée
3 c. à soupe 45 ml	concentré de jus d'orange congelé
4 c. à soupe 60 ml	beurre
2 c. à soupe 30 ml	jus d'orange
2 c. à thé 10 ml	zeste d'orange râpé finement
1 c. à soupe 15 ml	persil frais, ciselé
½-1 c. à thé 2,5-5 ml	noix de muscade râpée finement
	Sel et poivre

1. Couper la partie inférieure fibreuse de chaque asperge, puis les jeter. Mettre les têtes d'asperges dans une grande casserole contenant un léger fond d'eau. Porter à ébullition, baisser le feu, puis laisser mijoter 4 minutes ou jusqu'à ce que les asperges soient encore très « al dente ». Les égoutter immédiatement, puis les laisser refroidir sur une grande assiette.

2. Pour faire chaque paquet, déposer une tranche de prosciutto sur une surface de travail, puis la recouvrir de quelques feuilles de basilic. Saler et poivrer au goût, puis plier la tranche en deux ou en trois dans le but d'obtenir un très long rectangle ayant une petite largeur. Déposer le quart des asperges, en paquet compact, à une extrémité du rectangle de prosciutto. Enrouler le paquet d'asperges le plus serré possible avec la bande de prosciutto. Former chaque paquet en attachant une petite ficelle par-dessus le prosciutto. Celui-ci doit être placé environ au centre des tiges d'asperges.

3. Faire les trois autres petits paquets de la même façon, puis les réserver sur une assiette. Les badigeonner d'huile, puis les réserver.

4. Préchauffer le barbecue à feu moyen. Une fois que le gril fume abondamment, gratter la grille pour bien la nettoyer, puis baisser le feu légèrement. Déposer les petits paquets sur le barbecue. Fermer partiellement le couvercle, puis griller les asperges 8-10 minutes ou jusqu'à ce qu'elles soient tendres et que le prosciutto soit croustillant. Tourner les paquets d'asperges à quelques reprises durant la cuisson.

5. Retirer les asperges du gril, puis servir immédiatement un paquet par portion sur un fond de sauce orangée à la muscade. Accompagner de tomates cerises et de tranches de pain grillées.

SAUCE ORANGÉE À LA MUSCADE

6. Mettre tous les ingrédients dans un petit bol, puis saler et poivrer au goût. Réchauffer 30-45 secondes au micro-ondes, puis mélanger un peu.

7. Réchauffer de nouveau au micro-ondes 45 secondes. Retirer du micro-ondes. Couvrir et réserver quelques minutes avant de servir comme sauce d'accompagnement pour les légumes, les poissons et les fruits de mer.

POIVRONS ET POIREAUX AU BEURRE D'ANETH **4 PORTIONS**

4	blancs de poireaux moyens, parés
2	poivrons rouges
2	poivrons verts
	Sel et poivre

BEURRE D'ANETH

2 c. à thé 10 ml	graines d'aneth
1 c. à soupe 15 ml	aneth ou fenouil frais haché finement
6 c. à soupe 90 ml	beurre fondu
1 c. à soupe 15 ml	miel liquide
1 c. à soupe 15 ml	jus de citron

1 Pocher les blancs de poireaux 5 minutes, puis les égoutter. Les trancher délicatement en tronçons d'environ 3 po (7,5 cm) de long. Les réserver. Couper chaque poivron en deux afin d'obtenir deux moitiés identiques. Insérer un tronçon de poireau à l'intérieur de chaque coquille, puis embrocher le poivron par l'extrémité avec une petite brochette de bambou de façon à traverser le morceau de poireau en entier (le but est d'embrocher le poireau à l'intérieur du poivron). Saler et poivrer les poivrons. Les badigeonner généreusement de beurre d'aneth.

2 Préchauffer le barbecue à feu moyen-élevé. Bien nettoyer la grille, puis la huiler. Baisser le feu à moyen, puis déposer les brochettes de poivrons sur la grille du barbecue. Les cuire 7-10 minutes au total, en les tournant une fois. Les badigeonner de beurre d'aneth durant la cuisson. Les retirer du gril. Servir immédiatement.

BEURRE D'ANETH

3 Mettre les graines d'aneth dans un mortier, puis les écraser un peu pour en dégager les saveurs. Si vous n'avez pas de mortier, vous pouvez les réduire 3-4 secondes dans un moulin à café. Les déposer dans un bol, puis ajouter le reste des ingrédients. Bien mélanger. Couvrir, puis réserver au réfrigérateur. Réchauffer quelques secondes au micro-ondes avant d'utiliser.

COURGETTES FARCIES 4 PORTIONS

2	courgettes moyennes
1 c. à soupe 15 ml	huile d'olive
1	poivron vert haché
½	oignon rouge moyen, haché
1	grosse tomate hachée
1	branche de céleri hachée
1 c. à soupe 15 ml	vinaigre de vin rouge
	Sel et poivre
	Origan frais haché
	Fromage parmesan râpé

1. Préchauffer le barbecue à feu moyen. Bien gratter la grille. Couper chaque courgette en deux pour obtenir des moitiés identiques. Évider la chair des courgettes avec une petite cuillère. La hacher, puis la réserver. Déposer les coquilles de courgettes sur une assiette, puis les réserver.
2. Dans une grande poêle antiadhésive, faire revenir la chair des courgettes, le poivron, l'oignon, la tomate ainsi que le céleri dans l'huile, à feu moyen, 5 minutes. Brasser durant l'opération. Ajouter le vinaigre, puis saler et poivrer au goût. Cuire 2-3 minutes de plus. Retirer la poêle du feu.
3. Farcir les coquilles des courgettes avec le mélange de légumes. Garnir d'origan et de parmesan au goût. Mettre les demi-courgettes sur la grille du barbecue, puis couvrir. Les griller 12-15 minutes ou jusqu'à ce qu'elles soient tendres mais encore « al dente ». Les retirer du gril, puis servir immédiatement une demi-courgette par personne.

SALSAS

Qu'elles accompagnent des nachos, des pitas grillés, des viandes ou des poissons grillés, les salsas rehausseront tous vos plats et leur apporteront une touche de fraîcheur.

SALSA AUX PÊCHES ET AU CONCOMBRE

6 tasses (1,5 L)

2	pêches légèrement fermes
2 tasses 500 ml	concombre pelé, épépiné et coupé en petits cubes
2	grosses tomates parées et coupées en petits cubes
1	petit oignon jaune haché
1	petit piment fort haché finement (l'épépiner pour un goût moins épicé)
2	gousses d'ail écrasées
2-3 c. à soupe 30-45 ml	coriandre fraîche ciselée
2 c. à soupe 30 ml	jus de lime
2 c. à soupe 30 ml	huile d'olive
	Sel et poivre

1. Couper les pêches en deux, puis les parer. Les couper en petits cubes, puis les mettre dans un bol. Ajouter le reste des ingrédients au bol, puis assaisonner au goût de sel et de poivre. Bien mélanger. Réfrigérer quelques heures pour laisser le temps aux saveurs de s'amalgamer.
2. Servir en accompagnement des viandes blanches et des poissons grillés. Cette salsa est également excellente en canapés avec des craquelins, des nachos, etc. Elle se conserve quelques jours au réfrigérateur dans des contenants hermétiques.

SALSA AUX TOMATES CERISES, À LA CIBOULETTE ET AUX RAISINS

5 tasses (1,25 L)

4 c. à soupe 60 ml	gelée de poivron au choix
2 ½ tasses 625 ml	tomates cerises coupées en quatre
½ tasse 125 ml	ciboulette fraîche ciselée
2 tasses 500 ml	raisins rouges et verts, sans pépins, coupés en quatre
1 c. à thé 5 ml	piment de la Jamaïque
1 c. à soupe 15 ml	vinaigre de cidre
2 c. à soupe 30 ml	huile de noix

1. Mettre la gelée de poivron dans un grand bol, puis la liquéfier (ou la ramollir) en la mettant quelques secondes au micro-ondes. Ajouter le reste des ingrédients au bol, puis mélanger.
2. Couvrir et réfrigérer quelques heures afin de laisser le temps aux saveurs de s'amalgamer. Cette salsa se conserve quelques jours au réfrigérateur dans des contenants hermétiques.

SALSA À L'AVOCAT ET AU VINAIGRE BALSAMIQUE

4 tasses (1 L)

1	boîte de 19 oz (540 ml) de tomates en dés, égouttées
	Chair de deux avocats, coupée en petits cubes
	Jus et zeste râpé d'une lime
⅓ tasse 80 ml	vinaigre balsamique
4-6	échalotes vertes tranchées finement
3	gousses d'ail écrasées
1 c. à thé 5 ml	cumin moulu
1 c. à thé 5 ml	coriandre moulue
	Sel et poivre noir du moulin

1. Mettre les tomates en boîte dans un bol dont le fond est plat. Les écraser grossièrement avec un pilon. Ajouter le reste des ingrédients, puis saler et poivrer généreusement.
2. Bien mélanger, puis couvrir. Réfrigérer quelques heures afin de laisser le temps aux saveurs de s'amalgamer. Cette salsa se conserve quelques jours au réfrigérateur dans des contenants hermétiques.

SALADE COLORÉE DE HARICOTS AU BLEU DANOIS ET AUX AMANDES FUMÉES 8-12 PORTIONS

1	boîte de 19 oz (540 ml) de haricots noirs bien égouttés
1	boîte de 19 oz (540 ml) de haricots rouges ou romains bien égouttés
7 oz 200 g	fromage bleu danois émietté
1	gros concombre anglais pelé, épépiné et coupé en cubes
5	échalotes vertes tranchées finement
1	poivron orange ou rouge paré et coupé en petits carrés
3 c. à soupe 45 ml	huile de noix ou de noisette
4 c. à soupe 60 ml	vinaigre à l'estragon ou de cidre
4 c. à soupe 60 ml	huile d'olive
3 c. à soupe 45 ml	persil frais ciselé
	Sel de céleri
	Mélange de quatre poivres moulus grossièrement
1 tasse 250 ml	amandes fumées

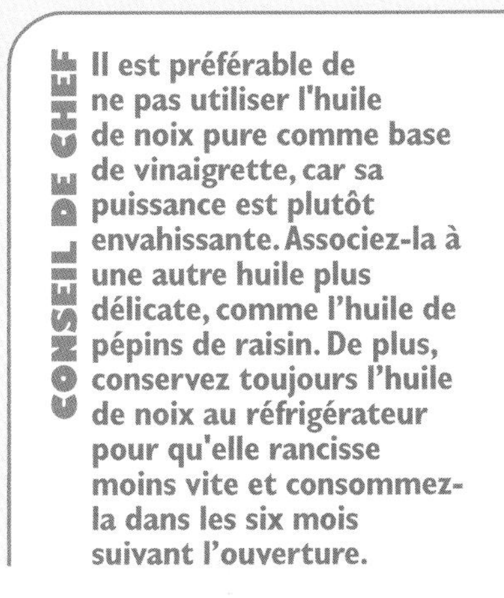
CONSEIL DE CHEF

Il est préférable de ne pas utiliser l'huile de noix pure comme base de vinaigrette, car sa puissance est plutôt envahissante. Associez-la à une autre huile plus délicate, comme l'huile de pépins de raisin. De plus, conservez toujours l'huile de noix au réfrigérateur pour qu'elle rancisse moins vite et consommez-la dans les six mois suivant l'ouverture.

1. Mettre tous les ingrédients, sauf les amandes fumées, dans un grand bol à salade, puis assaisonner au goût de sel de céleri et de mélange de quatre poivres. Bien mélanger, puis goûter et rectifier les assaisonnements au goût. Mélanger de nouveau au besoin, puis couvrir.

2. Réfrigérer un minimum de 6 heures avant de servir pour laisser le temps aux saveurs de s'amalgamer. Retirer du réfrigérateur environ 1 heure avant de servir. Juste avant de servir, ajouter les amandes fumées, puis bien mélanger. Cette recette se conserve jusqu'à trois jours au réfrigérateur.

Fruits de mer grillés

CREVETTES PAPILLON GRILLÉES À L'AIL 4 PORTIONS

24	grosses crevettes fraîches, non décortiquées
	Huile d'olive
2	gousses d'ail écrasées
2 c. à soupe 30 ml	ciboulette fraîche ciselée finement
	Jus et zeste râpé finement d'un citron
	Sel et poivre

BEURRE À L'AIL

¼ lb 115 g	beurre salé, ramolli
2	gousses d'ail écrasées
1 c. à soupe 15 ml	persil frais haché
	Poivre noir du moulin

CONSEIL DE CHEF

Pour préserver le bon état de votre barbecue des années durant de même que la saveur de vos aliments, lavez entièrement l'intérieur de votre barbecue au gaz au début de chaque saison. Retirez le brûleur et nettoyez bien les conduits menant aux clés d'ouverture, situées à l'avant du barbecue. Utilisez une brosse à manche flexible pour faciliter le travail.

1 Déposer les crevettes sur une surface de travail, puis faire une incision horizontale entre les pattes en partant à ¼ po (½ cm) de la queue et sur toute la longueur. Ne pas transpercer les crevettes, il faut seulement les ouvrir en portefeuille. Les retourner, côté ouvert vers le bas, puis les écraser légèrement avec la paume de la main pour bien les ouvrir en papillon.

2 Les déposer dans un bol, puis les mouiller avec un peu d'huile d'olive. Ajouter l'ail, la ciboulette, le jus et le zeste de citron. Saler et poivrer au goût, puis mélanger. Couvrir et réfrigérer 1-2 heures.

3 Retirer le plat du réfrigérateur, puis enfiler les crevettes sur des brochettes de façon qu'elles soient ouvertes (en papillon). Déposer les brochettes sur deux grandes assiettes, puis les badigeonner du reste du liquide de marinage.

4 Mettre le beurre à l'ail dans un grand bol en verre, puis le réchauffer 45-60 secondes au micro-ondes pour le faire fondre. Le réserver dans le bol. Préchauffer le barbecue à feu moyen-élevé. Une fois que le gril fume abondamment, bien gratter la grille pour la nettoyer, puis baisser le feu à moyen. Déposer les brochettes de crevettes sur la grille du barbecue. Les cuire 4-5 minutes au total, en les tournant une fois.

5 Retirer les brochettes du gril, puis les désenfiler dans le bol contenant le beurre à l'ail fondu. Bien mélanger, puis répartir également les crevettes dans quatre assiettes recouvertes d'un fond de riz ou de pâtes. Verser le reste du beurre à l'ail sur chaque portion. Accompagner d'une salade grecque.

BEURRE À L'AIL

6 Mettre le beurre, l'ail et le persil dans un petit contenant hermétique à fond plat, puis poivrer au goût. Bien écraser le tout avec le dos d'une fourchette jusqu'à l'obtention d'un beurre bien homogène.

7 Couvrir et réserver au réfrigérateur jusqu'au moment de servir. Vous pouvez aussi le façonner en rondin sur une pellicule de plastique, puis l'envelopper dans celle-ci.

BROCHETTES DE CREVETTES AU SAKÉ 4 PORTIONS

32	crevettes fraîches moyennes, décortiquées
8	petites brochettes de bambou trempées dans l'eau 30 minutes
2	petites courgettes coupées en 24 tranches (ou 24 mini-courgettes)
16	tomates cerises

MARINADE AU SAKÉ

3 c. à soupe 45 ml	saké (vin de riz japonais)
½ tasse 125 ml	sauce tamarin
½ tasse 125 ml	jus d'orange
3	gousses d'ail hachées finement
½ c. à thé 2,5 ml	gingembre frais haché

CONSEIL DE CHEF

Ne consommez jamais une marinade après que les aliments y ont mariné sans d'abord la faire bouillir à gros bouillons de 3 à 4 minutes pour éliminer tout risque d'intoxication alimentaire.

1 Dans un bol, bien mélanger les crevettes et la marinade au saké. Réfrigérer 1-3 heures.

2 Retirer le bol du réfrigérateur. Monter les brochettes en alternant les crevettes, les tranches de courgettes et les tomates cerises. Réserver les brochettes sur une assiette. Transvider le reste de la marinade dans une petite casserole. Réserver.

3 Préchauffer le barbecue à feu moyen. Une fois que le gril fume abondamment, bien gratter la grille pour la nettoyer, puis la huiler. Déposer les brochettes sur la grille. Les cuire 2-3 minutes de chaque côté ou jusqu'à ce que les crevettes soient bien rosées.

4 Pendant que les crevettes cuisent, porter la marinade à ébullition à feu moyen-élevé. Baisser légèrement le feu, puis laisser réduire 3 minutes. Retirer du feu, puis réserver. Retirer les brochettes du gril, puis en déposer deux par portion sur un lit de spaghettini. Mouiller chaque portion au goût avec de la marinade réduite. Servir immédiatement.

MARINADE AU SAKÉ

5 Dans un bol, bien mélanger tous les ingrédients. Réserver.

CREVETTES GRILLÉES À LA LIME ET AUX PIMENTS JALAPEÑOS 4 PORTIONS

24-32	crevettes fraîches moyennes, décortiquées
2	limes coupées en quartiers, puis en deux

MARINADE AUX PIMENTS JALAPEÑOS

4 c. à soupe 60 ml	piments jalapeños marinés et hachés
4 c. à soupe 60 ml	coriandre fraîche
	Jus d'une lime
¼ tasse 60 ml	jus d'orange
⅓ tasse 80 ml	huile d'olive
	Sel et poivre

SAUCE À L'AVOCAT ET À LA CRÈME SURE

	Chair d'un avocat
½ tasse 125 ml	crème sure
1 c. à soupe 15 ml	jus de lime
2 c. à soupe 30 ml	huile d'olive
1 ½ c. à soupe 22,5 ml	oignon haché finement
	Sel

CONSEIL DE CHEF

Préférez les brochettes à lames plates ou non arrondies qui permettent aux morceaux d'aliments de rester bien en place lorsqu'on les retourne sur le gril, contrairement aux brochettes de métal à forme arrondie.

1 Mettre les crevettes dans un bol en verre, puis les mouiller avec la marinade aux piments jalapeños. Bien mélanger, puis couvrir. Réfrigérer 2 heures. Mélanger quelques fois durant le marinage.

2 Retirer le plat du réfrigérateur. Enfiler 3-4 crevettes par brochette en alternant avec deux morceaux de lime. Réserver les brochettes sur une assiette. Transvider le reste de la marinade dans un bol, puis la réserver.

3 Préchauffer le barbecue à feu moyen. Une fois que le gril fume abondamment, bien gratter la grille pour la nettoyer, puis la huiler. Déposer les brochettes sur la grille. Les cuire 2-3 minutes de chaque côté ou jusqu'à ce que les crevettes soient bien rosées. Les badigeonner d'un peu de la marinade réservée après les avoir retournées.

4 Retirer les brochettes du gril, puis en déposer deux par portion sur un lit de pâtes fraîches aux herbes. Accompagner d'asperges fraîches cuites à la vapeur et de sauce à l'avocat et à la crème sure. Servir immédiatement.

MARINADE AUX PIMENTS JALAPEÑOS

5 Mettre tous les ingrédients dans un robot culinaire. Réduire le tout jusqu'à l'obtention d'une marinade homogène et uniforme. Verser dans un bol hermétique, puis réserver au réfrigérateur. Retirer du réfrigérateur 30 minutes avant d'utiliser.

SAUCE À L'AVOCAT ET À LA CRÈME SURE

6 Mettre tous les ingrédients dans un robot culinaire, puis saler au goût. Réduire jusqu'à l'obtention d'une sauce lisse. Transvider la sauce dans un bol, puis mouiller le dessus avec un peu de jus de lime pour éviter qu'il se décolore. Couvrir, puis réfrigérer jusqu'au moment de servir.

CREVETTES GRILLÉES AUX RAISINS ET À L'ORANGE 4 PORTIONS

¼ tasse 60 ml	huile d'olive	32	crevettes fraîches moyennes, décortiquées et nettoyées
1	gousse d'ail	8	petites brochettes de bambou trempées dans l'eau 30 minutes
⅓ tasse 80 ml	raisins secs préalablement trempés dans l'eau 1 heure	1 lb 454 g	épinards nettoyés
¼ tasse 60 ml	jus d'orange fraîchement pressé	1	petit oignon rouge tranché mince
			Quartiers d'orange

CONSEIL DE CHEF

Préférez les brochettes de métal, car elles sont plus écologiques : elles sont réutilisables presque indéfiniment. Si vous vous servez des brochettes de bambou, faites-les d'abord tremper dans l'eau au moins 30 minutes et embrochez les aliments au dernier moment. Des brochettes de bambou bien humides brûleront moins vite et assécheront moins les aliments lors de la cuisson.

1. Dans un plat en verre, bien mélanger l'huile, l'ail, les raisins et le jus d'orange. Écraser les raisins le plus possible avec le dos d'une fourchette. Ajouter les crevettes, puis laisser mariner 2 heures au réfrigérateur.
2. Retirer le plat du réfrigérateur. Enfiler quatre crevettes sur chaque brochette. Réserver les brochettes sur une assiette. Transvider le reste de la marinade dans une petite casserole, puis la réserver.
3. Préchauffer le barbecue à feu moyen. Une fois que le gril fume abondamment, bien gratter la grille pour la nettoyer, puis la huiler. Déposer les brochettes sur la grille, puis les cuire 2-3 minutes de chaque côté ou jusqu'à ce que les crevettes soient bien rosées.
4. Pendant que les crevettes cuisent, porter la marinade à ébullition à feu moyen-élevé. Baisser le feu légèrement, puis laisser réduire 2 minutes. Ajouter les épinards, puis éteindre le feu. Bien mélanger, puis couvrir. Réserver 3 minutes.
5. Napper le fond de quatre assiettes de sauce aux épinards. Retirer les brochettes du gril, puis en déposer deux par assiette. Garnir chaque portion de tranches d'oignon et de quartiers d'orange. Accompagner d'un riz au safran et de demi-artichauts grillés. Servir immédiatement.

TERRE ET MER À LA THAÏLANDAISE 4-6 PORTIONS

1,1 lb 500 g	filet de bœuf dégraissé et coupé en cubes (pas trop gros)
16	grosses crevettes fraîches, décortiquées, la queue intacte
4	échalotes vertes coupées en tronçons de 1 po (2,5 cm)
	Quartiers de lime
	Flocons de noix de coco

MARINADE THAÏLANDAISE

	Jus et zeste râpé d'une lime bien lavée
2	tiges de citronnelle parées et hachées finement
1	grosse gousse d'ail hachée finement
2 c. à thé 10 ml	poudre de curry
1 c. à thé 5 ml	poudre de chili
⅔ tasse 160 ml	lait de noix de coco

1 Mettre les cubes de bœuf dans un bol avec les crevettes, puis mouiller avec la marinade thaïlandaise. Mélanger, puis laisser mariner 2-4 heures au réfrigérateur. Retirer le bol du réfrigérateur 1 heure avant la cuisson.

2 Pour monter chaque brochette, piquer le bas d'une crevette avec une brochette, enfiler un cube de bœuf, puis fixer le tout en enfilant le haut de la même crevette sur la brochette. Répéter l'opération avec le reste des aliments en alternant avec des tronçons d'échalotes vertes. Réserver les brochettes sur une grande assiette de service.

3 Préchauffer le barbecue à feu moyen-élevé. Bien gratter la grille, puis la huiler. Déposer les brochettes sur le gril, puis les cuire environ 5-6 minutes au total, en les tournant à quelques reprises. Les badigeonner du reste de la marinade durant la cuisson. Le bœuf demande un degré de cuisson médium-saignant et les crevettes devraient être rosées. Si vous les cuisez plus longtemps, ces dernières pourraient être trop cuites et, donc, moins tendres.

4 Retirer les brochettes du gril et en servir 1-2 par personne. S'il vous reste de la marinade, en napper les brochettes en vous assurant de la faire bouillir préalablement quelques minutes. Accompagner d'un riz aux poivrons. Décorer de quartiers de citron et de flocons de noix de coco.

MARINADE THAÏLANDAISE

5 Mettre les cinq premiers ingrédients dans un petit bol, puis mélanger jusqu'à l'obtention d'une pâte bien homogène et lisse. Ajouter graduellement le lait de noix de coco tout en mélangeant. Réserver au réfrigérateur.

6 Utiliser froid comme marinade ou chaud comme sauce (réchauffer quelques minutes à feu moyen-doux, en brassant régulièrement).

CREVETTES SUCRÉES AUX CAROTTES ET AU GINGEMBRE 4-6 PORTIONS

2	carottes moyennes pelées
24-30	crevettes fraîches moyennes, décortiquées
⅔ tasse 160 ml	jus de carotte
4 c. à soupe 60 ml	miel liquide
1 c. à thé 5 ml	gingembre moulu
1	gousse d'ail écrasée
½ c. à thé 2,5 ml	sel
1 c. à thé 5 ml	piment de la Jamaïque
1	gros morceau de gingembre frais, pelé et coupé en fines tranches

1 Couper les carottes en rondelles d'environ ½ po (1,25 cm) d'épaisseur, puis les faire blanchir environ 5 minutes dans l'eau bouillante. Elles doivent être à moitié cuites. Les égoutter, puis les mettre dans un bol.

2 Ajouter le reste des ingrédients, sauf les tranches de gingembre, au bol contenant les carottes, puis bien mélanger. Laisser mariner 2 heures au réfrigérateur.

3 Retirer le bol du réfrigérateur. Enfiler les crevettes sur des brochettes en alternant avec des rondelles de carottes et des tranches de gingembre. Déposer les brochettes sur une assiette de service, puis les réserver.

4 Préchauffer le barbecue à feu moyen-élevé. Bien gratter la grille, puis la huiler. Déposer les brochettes sur le gril, puis les cuire 2-3 minutes de chaque côté ou jusqu'à ce que les crevettes soient bien rosées. Pendant ce temps, faire bouillir le reste de la marinade 3 minutes. Napper le fond des assiettes de marinade réduite, puis déposer 1-2 brochettes par assiette. Servir immédiatement. Accompagner de pois mange-tout et de riz blanc.

BEURRES PARFUMÉS

Ces beurres sont excellents pour garnir le pain avant de le griller ou pour accompagner vos grillades, vos légumes et vos fruits de mer.

BEURRE À L'ESTRAGON ET À LA LIME

⅔ tasse (160 ml)

½ tasse 125 ml	beurre ramolli
1 c. à soupe 15 ml	estragon sec
2 c. à thé 10 ml	persil plat haché
1 c. à thé 5 ml	jus de lime
½ c. à thé 2,5 ml	zeste de lime râpé
¼ c. à thé 1 ml	sel

1 Dans un bol, fouetter le beurre jusqu'à ce qu'il soit crémeux. Ajouter le reste des ingrédients tout en fouettant. Mélanger jusqu'à ce que tous les ingrédients soient bien intégrés.

2 Couvrir et réserver au réfrigérateur quelques heures avant de servir. Vous pouvez aussi façonner le beurre en rondin sur une pellicule de plastique, puis l'envelopper dans celle-ci.

BEURRE AUX POIREAUX ET AU BLEU

1 tasse (250 ml)

½ tasse 125 ml	beurre ramolli
4 c. à soupe 60 ml	blanc de poireau tranché
1 c. à soupe 15 ml	vin blanc sec
4 c. à soupe 60 ml	fromage bleu crémeux (gorgonzola, Saint-Agur, etc.)

1 Dans une petite poêle antiadhésive, faire chauffer 1 c. à thé (5 ml) de beurre à feu moyen. Ajouter le poireau, puis le faire revenir 3 minutes en brassant. Ajouter le vin, puis réduire 1 minute de plus. Transvider le contenu de la poêle dans un bol, puis laisser refroidir 5 minutes.

2 Ajouter le fromage et le reste du beurre. Travailler le mélange avec le dos d'une fourchette pour bien intégrer le tout. Couvrir et réserver au réfrigérateur quelques heures avant de servir. Vous pouvez aussi façonner le beurre en rondin sur une pellicule de plastique, puis l'envelopper dans celle-ci.

BEURRE À L'ÉCHALOTE ET À LA MOUTARDE

1 tasse (250 ml)

½ tasse 125 ml	beurre ramolli
1½ c. à soupe 22,5 ml	moutarde de Dijon
4	échalotes vertes tranchées finement
1 c. à thé 5 ml	persil haché
	Poivre noir

1 Mettre tous les ingrédients dans un bol, puis les travailler avec une fourchette jusqu'à l'obtention d'une consistance crémeuse et homogène. Poivrer au goût.

2 Couvrir et réserver au réfrigérateur quelques heures avant de servir. Vous pouvez aussi façonner le beurre en rondin sur une pellicule de plastique, puis l'envelopper dans celle-ci.

1997
Cotes du
VIEILLES VIGNES

CREVETTES AUX OLIVES NOIRES ET AU BASILIC **4-6 PORTIONS**

2 lb 900 g	crevettes tigrées fraîches, décortiquées, la queue intacte
	Feuilles de basilic frais
	Tomates cerises
	Olives noires en vrac, dénoyautées

MARINADE AUX OLIVES NOIRES ET AU BASILIC

⅔ tasse 160 ml	olives noires en vrac, égouttées, dénoyautées
1 c. à soupe 15 ml	pâte de tomate
1 c. à soupe 15 ml	sauce Worcestershire
½ tasse 125 ml	feuilles de basilic frais, ciselées
⅓ tasse 80 ml	bouillon de poulet
¼ tasse 60 ml	vin blanc
3 c. à soupe 45 ml	huile d'olive au basilic
	Sel et poivre

CONSEIL DE CHEF

Afin d'accélérer le marinage des viandes, des volailles, des poissons et des fruits de mer, piquez-les légèrement à quelques endroits pour permettre à la marinade de pénétrer en profondeur.

1 Mettre les crevettes dans un bol, puis les mouiller avec la marinade aux olives noires et au basilic. Mélanger, puis couvrir et réfrigérer 3 heures.

2 Retirer les crevettes du réfrigérateur, puis les enfiler sur des brochettes en alternant avec des feuilles de basilic, des tomates cerises et des olives noires dénoyautées. Réserver les brochettes sur une grande assiette de service. Réserver la marinade.

3 Préchauffer le barbecue à feu moyen. Une fois que le gril fume abondamment, gratter la grille pour bien la nettoyer. Baisser le feu un peu, puis huiler la grille. Déposer les brochettes sur la grille, puis les cuire environ 5 minutes au total ou jusqu'à ce que les crevettes soient bien rosées. Les tourner à quelques reprises et les badigeonner d'un peu de la marinade réservée durant le grillage.

4 Retirer les brochettes du gril, puis en servir immédiatement 1-2 par portion sur un lit de couscous aux légumes. Mouiller chaque portion avec un peu de marinade aux olives et au basilic préalablement réduite du tiers dans une petite casserole. Accompagner d'une salade grecque. Servir immédiatement.

MARINADE AUX OLIVES NOIRES ET AU BASILIC

5 Mettre tous les ingrédients dans un robot culinaire, puis saler et poivrer au goût. Réduire jusqu'à l'obtention d'une purée lisse et homogène. Transvider dans un contenant hermétique, puis réserver au réfrigérateur jusqu'au moment d'utiliser.

BAISERS DE PÉTONCLES ET DE CREVETTES À LA NOIX DE COCO ET À LA MOUTARDE **4 PORTIONS**

16	crevettes géantes fraîches, décortiquées, la queue intacte
8	gros pétoncles coupés en deux
	Tranches épaisses de courgettes
	Tomates cerises
⅓ tasse 80 ml	bouillon de poulet
	Noix de coco râpée, grillée au four

MARINADE À LA NOIX DE COCO ET À LA MOUTARDE

1 c. à soupe 15 ml	moutarde sèche
3 c. à soupe 45 ml	vinaigre de cidre
1	boîte de 400 ml de lait de noix de coco
	Poudre de cinq-épices chinoises
	Sel et poivre noir du moulin

CONSEIL DE CHEF

Les pétoncles se cuisent à merveille sur le gril. La technique la plus efficace consiste à utiliser des brochettes en vous assurant de piquer les fruits de mer dans l'épaisseur. Ainsi, ils seront beaucoup plus stables sur les brochettes et se briseront moins facilement lors du grillage. Salez-les, poivrez-les et huilez-les bien avant le grillage. Vu leur cuisson rapide, préférez les gros pétoncles et cuisez-les de 3 à 4 minutes au total, à feu moyen, sur une grille bien huilée.

1 Mettre les crevettes et les pétoncles dans un bol, puis les mouiller avec la marinade à la noix de coco et à la moutarde. Bien mélanger, puis couvrir. Laisser mariner 6-12 heures au réfrigérateur.

2 Retirer le bol du réfrigérateur. Pour monter chaque brochette, piquer le bas d'une crevette avec une brochette, enfiler un demi-pétoncle, puis fixer le tout en enfilant le haut de la même crevette sur la brochette. Alterner chaque baiser avec un quartier de courgette ou une tomate cerise. Répéter l'opération avec le reste des fruits de mer. Déposer les brochettes sur une assiette de service, puis les mouiller avec un peu de marinade contenue dans le fond du bol. Transvider le reste de la marinade dans une petite casserole, puis la réserver. Laisser reposer les brochettes 30 minutes.

3 Préchauffer le barbecue à feu moyen. Une fois que la grille fume abondamment, bien la gratter pour la nettoyer. Baisser un peu le feu, puis huiler la grille. Déposer les brochettes de fruits de mer sur la grille, puis les cuire environ 5-6 minutes au total, en les tournant à quelques reprises.

4 Retirer les brochettes du gril, puis les envelopper dans une grande feuille de papier d'aluminium. Réserver 5 minutes. Entre-temps, ajouter le bouillon de poulet à la marinade à la noix de coco et à la moutarde réservée, puis porter à ébullition. Baisser le feu à moyen, puis laisser mijoter 3 minutes. Servir immédiatement 1-2 brochettes de baisers de pétoncles et de crevettes sur un lit de marinade réduite. Garnir chaque portion de flocons de noix de coco grillés. Accompagner de riz.

MARINADE À LA NOIX DE COCO ET À LA MOUTARDE

5 Mettre la moutarde et le vinaigre dans un bol, puis bien intégrer la moutarde avec le dos d'une fourchette. Ajouter le lait de noix de coco, puis assaisonner généreusement de poudre de cinq-épices chinoises, de sel et de poivre. Bien fouetter, puis réserver au réfrigérateur jusqu'au moment de servir. Excellent comme marinade pour les poissons, les fruits de mer et la volaille.

PETITS BATEAUX DE PÉTONCLES ET DE CREVETTES 4 PORTIONS

24	crevettes moyennes fraîches, décortiquées
24	gros pétoncles
	Poivre
8	brochettes de bambou trempées dans l'eau 30 minutes
1	baguette
	Persil plat haché

BEURRE À LA CIBOULETTE

¼ lb 115 g	beurre
1 c. à soupe 15 ml	jus de citron
2 c. à soupe 30 ml	ciboulette fraîche ciselée

CONSEIL DE CHEF

Assurez-vous de ne pas trop cuire les viandes et les découpes moins grasses (porc, volaille, lapin, etc.), car elles s'assécheront rapidement. Faites de même avec les poissons et les fruits de mer, qui sont aussi des aliments faibles en gras.

1. Enfiler les pétoncles et les crevettes sur les brochettes de bambou, puis les réserver sur une grande assiette.

2. Préchauffer le barbecue à feu moyen. Une fois que le gril fume abondamment, bien gratter la grille pour la nettoyer, puis la huiler. Déposer les brochettes sur la grille, puis les cuire 2-3 minutes de chaque côté ou jusqu'à ce que les crevettes soient bien rosées et que la chair des pétoncles soit blanche.

3. Pendant que les fruits de mer cuisent, couper la baguette en deux, dans le sens de la longueur. Retirer un peu de mie au centre de chaque demi-baguette pour former un léger creux, puis couper chaque demi-baguette en deux.

4. Retirer les brochettes du gril, puis désenfiler les fruits de mer sur une assiette. Alterner esthétiquement six crevettes et six pétoncles à l'intérieur de chaque coquille de pain. Déposer les petits bateaux dans des assiettes préalablement recouvertes d'un fond de laitue frisée et de tomates cerises coupées en deux. Mouiller chaque petit bateau avec du beurre à la ciboulette au goût, puis garnir de persil. Servir immédiatement.

BEURRE À LA CIBOULETTE

5. Mettre le beurre dans un petit bol, puis le faire fondre 30 secondes au micro-ondes. Ajouter le jus de citron et la ciboulette. Bien mélanger, puis réserver. Ce beurre se conserve environ une semaine au réfrigérateur ou jusqu'à trois mois au congélateur.

BROCHETTES DE PÉTONCLES ET D'AVOCAT AU GINGEMBRE ET À LA LIME 6 PORTIONS

2 lb 900 g	gros pétoncles
2	avocats parés et coupés en cubes
	Jus d'une lime
1	poivron vert paré, coupé en cubes
12	tranches de gingembre frais
12	tomates cerises

MARINADE AU GINGEMBRE ET À LA LIME

½ tasse 125 ml	huile d'olive
2 c. à soupe 30 ml	gingembre frais haché
	Jus d'une lime
1	gousse d'ail hachée finement
¼ c. à thé 1 ml	coriandre moulue
	Sel et poivre

CONSEIL DE CHEF

Voici quelques notions de base pour griller les fruits de mer à la perfection sur le gril. Ne les faites jamais cuire trop longtemps. En général, lorsque vous les cuisez directement sur la grille du barbecue, comptez environ de 4 à 6 minutes au total (tournez-les quelques fois). Ajoutez quelques minutes lorsque vous les cuisez en papillote. Choisissez des fruits de mer assez gros et bien frais. Huilez-les toujours, ainsi que la grille, avant de les griller. Leur temps de marinage est beaucoup moins long que celui des viandes, car ils absorbent rapidement la marinade et cuisent même lorsqu'ils sont en contact avec une substance acidifiante. Calculez de 1 à 3 heures selon les goûts.

1 Mettre les pétoncles dans un bol, puis les mouiller avec la marinade au gingembre et à la lime. Laisser mariner 3 heures au réfrigérateur. Retirer le bol du réfrigérateur 1 heure avant de servir.

2 Mettre les morceaux d'avocat dans un bol, puis les asperger de jus de citron pour les empêcher de noircir. Monter les brochettes en alternant les pétoncles, les morceaux d'avocat, les morceaux de poivron, les tranches de gingembre et les tomates cerises. Les morceaux de gingembre doivent être en contact avec les pétoncles. Réserver les brochettes sur une grande assiette. Réserver le reste de la marinade dans un bol.

3 Préchauffer le barbecue à feu moyen-élevé. Une fois que le gril fume abondamment, bien gratter la grille pour la nettoyer, puis la huiler. Déposer les brochettes sur la grille, puis les cuire 2-3 minutes de chaque côté ou jusqu'à ce que la chair des pétoncles soit blanche. Badigeonner les brochettes de marinade réservée après les avoir retournées. Retirer les brochettes du gril, puis en servir 1-2 par portion. Accompagner de petites carottes glacées au miel et de riz basmati.

MARINADE AU GINGEMBRE ET À LA LIME

4 Dans un bol, bien mélanger tous les ingrédients. Réserver au réfrigérateur. Laisser revenir à la température de la pièce avant d'utiliser.

FEUILLES DE PÉTONCLES ET DE CŒURS DE BAMBOU GRILLÉS SUR LIT DE FETTUCCINE À L'AIL 4-6 PORTIONS

16-20	très gros pétoncles
1	boîte de 14 oz (398 ml) de cœurs de bambou en tranches, égouttés
1	gros poivron orange paré et coupé en carrés de ½ po x ½ po (1,25 cm x 1,25 cm)
	Huile d'olive
	Assaisonnement à l'italienne
	Sel et poivre
4-6 c. à soupe 60-90 ml	beurre
2	grosses gousses d'ail hachées finement
1 lb *454 g*	fettuccine aux épinards cuites « al dente »

CONSEIL DE CHEF

Vous voulez des pâtes parfaites ? Suivez ces consignes. Faites cuire les pâtes dans beaucoup d'eau légèrement salée et ne la huilez jamais. Ajoutez vos pâtes uniquement lorsque l'eau bout. Mélangez plusieurs fois durant la cuisson. Une fois que les pâtes sont cuites « al dente », égouttez-les, puis remettez-les dans la casserole. Ajoutez un peu de sauce, d'huile ou de beurre pour éviter qu'elles collent. Ne cuisez pas trop les pâtes car, une fois égouttées, elles cuiront encore un peu.

1. Déposer les pétoncles sur une surface de travail, puis les couper en trois, dans l'épaisseur, pour obtenir des rondelles. Enfiler les rondelles de pétoncles sur des brochettes en les alternant avec des tranches de cœurs de bambou et des carrés de poivron. Les déposer sur une assiette de service, puis les mouiller avec un peu d'huile d'olive. Les assaisonner au goût d'assaisonnement à l'italienne, de sel et de poivre.

2. Préchauffer le barbecue à feu moyen. Bien gratter la grille, puis la huiler légèrement. Déposer les brochettes sur le gril, puis les cuire 2-3 minutes en les tournant à quelques reprises. Retirer les brochettes du gril, puis les réserver sur une assiette de service.

3. Ajouter le beurre et l'ail à la casserole ou au bol contenant les pâtes chaudes, puis saler et poivrer généreusement. Mélanger, puis servir 4-6 portions de pâtes dans de grandes assiettes. Garnir les pâtes de 1-2 brochettes de pétoncles que vous aurez désenfilées. Servir immédiatement. Accompagner d'une salade crémeuse au choix.

PÉTONCLES GRILLÉS, SURPRISES AUX TOMATES SÉCHÉES **4 PORTIONS**

24	gros pétoncles
	Sel et poivre
24	morceaux de tomates séchées dans l'huile de ½ po (1,25 cm)
1	courgette lavée et coupée en tranches épaisses
12	tomates séchées dans l'huile
	Huile aromatisée à la tomate séchée

SAUCE CRÉMEUSE À L'AVOCAT

	Chair de deux petits avocats
2 c. à soupe 30 ml	jus de citron
½ tasse 125 ml	yogourt nature ou crème sure
1 c. à soupe 15 ml	moutarde forte
⅓ tasse 80 ml	crème 35 %
	Sel et poivre

CONSEIL DE CHEF

Préchauffez le barbecue au moins cinq minutes, couvercle fermé, avant de l'utiliser. Une fois que la grille est chaude, nettoyez-la bien, puis huilez-la légèrement pour éviter que les aliments collent et se déforment lorsque vous les manipulerez.

1 Déposer les pétoncles sur une grande assiette, puis les saler et les poivrer au goût. Faire une petite incision sur le dessus de chaque pétoncle juste assez grande et creuse pour pouvoir y insérer un morceau de tomate séchée. Y insérer les morceaux de tomates séchées, puis les fixer en enfilant les pétoncles sur des brochettes. Alterner avec des tranches de courgette et de tomates séchées. Badigeonner les brochettes d'huile à la tomate séchée, puis les réserver sur l'assiette initiale.

2 Préchauffer le barbecue à feu moyen. Une fois que la grille fume abondamment, bien la gratter pour la nettoyer. Baisser le feu un peu, puis huiler la grille. Déposer les brochettes sur la grille et les cuire environ 6-7 minutes au total, en les tournant à quelques reprises.

3 Retirer les brochettes du gril, puis en servir immédiatement 1-2 par portion sur un léger fond de sauce crémeuse à l'avocat. Accompagner chaque portion d'une salade de pâtes à la grecque et de pain à l'ail grillé. Servir immédiatement.

SAUCE CRÉMEUSE À L'AVOCAT

4 Mettre la chair des avocats et le jus de citron dans un robot culinaire, puis réduire quelques secondes jusqu'à l'obtention d'une purée crémeuse. Ajouter le reste des ingrédients, puis saler et poivrer au goût.

5 Réduire de nouveau jusqu'à l'obtention d'une sauce crémeuse et onctueuse. Transvider dans un contenant hermétique, puis réfrigérer jusqu'au moment de servir. Excellent comme trempette ou sauce d'accompagnement avec la volaille, le porc et les fruits de mer.

HOMARDS GRILLÉS, MAYONNAISE CITRONNÉE À L'AIL ET À LA CIBOULETTE 4 PORTIONS

4	homards vivants de 1 ½ lb (680 g) chacun
	Huile d'olive aromatisée
	Sel et poivre
	Moutarde de Dijon
	Jus de citron

MAYONNAISE À L'AIL ET À LA CIBOULETTE

½ c. à thé 2,5 ml	moutarde sèche
	Jus et zeste râpé finement d'un demi-citron
2	grosses gousses d'ail dégermées et écrasées
3 c. à soupe 45 ml	ciboulette fraîche ciselée finement
¾ tasse 180 ml	mayonnaise
	Sel et poivre

CONSEIL DE CHEF

Si vous aimez sentir le croquant du zeste de citron dans les mets que vous préparez, retirez-le avec un petit couteau bien effilé, puis hachez-le finement. Si, au contraire, sa texture vous déplaît, râpez-le très finement (il existe des râpes conçues à cet effet). Il se fondra dans le mets et vous ne percevrez que sa saveur.

1 Dans une très grande casserole, faire bouillir beaucoup d'eau à feu élevé. Quand l'eau bout à gros bouillons, ajouter 2 homards, tête en premier, puis les cuire 5 minutes. Les retirer de la casserole avec de grosses pinces, puis les déposer sur une surface de travail pour les refroidir. Ajouter deux autres homards à la casserole et les cuire de la même façon. Les retirer de la casserole, puis les réserver avec les deux autres.

2 Déposer les homards sur le dos, puis, à l'aide d'un gros couteau bien coupant, les couper en deux de la tête à la queue. Jeter le sac grisâtre contenu dans la tête (partie non comestible). Casser grossièrement les pinces avec des pinces à homard ou un marteau recouvert d'un linge.

3 Badigeonner la chair des homards d'huile aromatisée. La saler et la poivrer généreusement, puis la badigeonner d'une mince couche de moutarde de Dijon. Réserver les demi-homards.

4 Préchauffer le barbecue à feu moyen. Une fois que la grille fume abondamment, bien la gratter pour la nettoyer. Baisser le feu un peu, puis huiler la grille. Déposer les demi-homards, côté chair sur la grille, puis les cuire 4-5 minutes en les couvrant partiellement. Les retourner et les cuire 3 minutes de plus, côté carapace, ou jusqu'à ce que la chair ne soit plus translucide. Retirer les demi-homards du gril, puis les asperger d'un peu de jus de citron. En servir immédiatement deux par personne. Accompagner de riz basmati, de mayonnaise à l'ail et à la ciboulette ainsi que d'une salade du chef.

MAYONNAISE À L'AIL ET À LA CIBOULETTE

5 Mettre la moutarde sèche, le jus et le zeste de citron dans un petit bol, puis bien diluer la moutarde en mélangeant avec le dos d'une fourchette. Ajouter le reste des ingrédients, puis saler et poivrer au goût.

6 Bien mélanger, puis couvrir d'une pellicule de plastique. Réfrigérer un minimum de 1 heure avant de servir pour laisser le temps aux saveurs de se développer. Retirer du réfrigérateur 30 minutes avant de servir. Cette sauce est excellente pour accompagner les sandwichs, les fruits de mer et le poulet, ou servie comme trempette accompagnée de crudités.

HOMARDS GRILLÉS À LA DIJONNAISE 4 PORTIONS

4	homards vivants de 1½ lb (680 g) chacun

SAUCE DIJONNAISE

4 c. à soupe 60 ml	moutarde de Dijon
	Jus d'un citron
3 c. à soupe 45 ml	huile d'olive
1 c. à thé 5 ml	sauce Worcestershire
1 c. à soupe 15 ml	basilic frais ciselé finement
	Poivre moulu
	Sauce aux piments forts

CONSEIL DE CHEF

Voici une recette express de mayonnaise hors de l'ordinaire pour accompagner le homard, les poissons et les fruits de mer. Mélangez ⅓-½ tasse (80-125 ml) de mayonnaise avec un gros jaune d'œuf, puis ajoutez-y 1 c. à soupe (15 ml) de jus de citron, 1 c. à thé (5 ml) de moutarde forte, une petite gousse d'ail écrasée et un peu de persil frais ciselé. Poivrez au goût, puis mélangez bien. Délicieux !

1 Dans une très grande casserole, faire bouillir beaucoup d'eau à feu élevé. Quand l'eau bout à gros bouillons, ajouter deux homards, tête en premier, puis les cuire 5 minutes. Les retirer de la casserole avec de grosses pinces, puis les déposer sur une surface de travail pour les refroidir. Ajouter deux autres homards à la casserole et les cuire de la même façon. Les retirer de la casserole, puis les réserver avec les deux autres.

2 Déposer les homards sur le dos, puis, à l'aide d'un gros couteau bien coupant, les couper en deux de la tête à la queue. Jeter le sac grisâtre contenu dans la tête (partie non comestible). Casser grossièrement les pinces avec des pinces à homard ou un marteau recouvert d'un linge. Badigeonner l'intérieur de chaque demi-homard avec la sauce dijonnaise, puis les réserver.

3 Préchauffer le barbecue à feu moyen. Une fois que la grille fume abondamment, bien la gratter pour la nettoyer. Baisser un peu le feu, puis huiler la grille. Déposer les demi-homards, côté chair sur la grille, puis les cuire 4-5 minutes en les couvrant partiellement. Les retourner, puis badigeonner l'intérieur de sauce dijonnaise. Les cuire 3 minutes de plus, côté carapace, ou jusqu'à ce que la chair ne soit plus translucide. Retirer les demi-homards du gril. En servir immédiatement deux par personne. Accompagner de tranches d'ananas grillées et de sauce dijonnaise.

SAUCE DIJONNAISE

4 Dans un bol, bien mélanger tous les ingrédients, puis assaisonner au goût de poivre et de sauce aux piments forts. Utiliser comme sauce à badigeonner pour la cuisson au barbecue ou comme sauce d'accompagnement.

CALMARS À LA THAÏLANDAISE 4 PORTIONS

2 lb 900 g	calmars frais ou congelés
	Sel et poivre
	Huile d'olive

SAUCE PIQUANTE AU POISSON

5	gousses d'ail hachées finement
2 c. à soupe 30 ml	sauce soya
5 c. à soupe 75 ml	sauce aux huîtres ou au poisson
3 c. à soupe 45 ml	jus de lime
¼-½ c. à thé 1-2,5 ml	flocons de piment fort
1 c. à soupe 15 ml	sucre granulé
2 c. à soupe 30 ml	coriandre fraîche hachée
2 c. à soupe 30 ml	oignon haché très finement

CONSEIL DE CHEF

Gardez une bonbonne de gaz de rechange bien remplie à portée de la main. Cela peut sembler anodin, mais trouver du gaz propane tard le soir n'est pas toujours facile. De plus, c'est très désagréable !

1 Mettre les calmars frais ou décongelés dans un évier, puis les laver et les parer en séparant la tête et les tentacules du corps. Retirer la bouche (partie dure) de chaque tête en vous aidant d'un petit couteau, puis la jeter. Enlever la peau et le cartilage central qui se trouve à l'intérieur du corps. Éponger les calmars, puis couper chaque corps en trois. Mettre les têtes avec les tentacules et les morceaux de corps dans un bol. Saler et poivrer au goût, puis mouiller avec un peu d'huile d'olive.

2 Préchauffer le barbecue à feu moyen. Nettoyer la grille, puis la huiler. Enfiler les morceaux de calmars sur des brochettes ou les déposer sur une plaque trouée conçue pour la cuisson sur le gril. Cuire les calmars environ 5 minutes au total, en les tournant quelques fois. Ne pas trop les cuire, car la chair deviendra vite caoutchouteuse. Badigeonner les calmars deux fois de sauce piquante au poisson durant la cuisson.

3 Retirer les calmars du gril, puis les répartir dans quatre assiettes. Accompagner de fettuccine au parmesan, de pois mange-tout et de sauce piquante au poisson.

SAUCE PIQUANTE AU POISSON

4 Mettre tous les ingrédients dans un bol. Bien mélanger. Réserver au réfrigérateur.

Poissons grillés

AILES DE RAIE AUX CÂPRES ET AU POIVRE 4 PORTIONS

2,2 lb 1 kg	ailes de raie
	Huile d'olive
	Jus de lime
⅓ tasse 80 ml	câpres égouttées
2 c. à soupe 30 ml	poivre noir concassé grossièrement
2 c. à soupe 30 ml	coriandre fraîche hachée
½	oignon haché finement
	Quartiers de citron

1 Badigeonner généreusement les ailes de raie d'huile et de jus de lime. Réserver. Mettre le reste des ingrédients dans un bol, sauf les quartiers de citron, puis écraser le tout avec le dos d'une fourchette. Mouiller avec de l'huile d'olive et du jus de lime afin d'obtenir une consistance de sauce épaisse. Réserver.

2 Préchauffer le barbecue à feu moyen-élevé. Une fois la grille bien chaude, la gratter pour la nettoyer, puis bien la huiler. Déposer les ailes de raie sur la grille, puis les cuire 4-5 minutes.

3 Tourner délicatement chaque aile avec une grande spatule, puis étendre une couche du mélange de câpres sur le dessus de chaque filet. Couvrir et continuer la cuisson 5 minutes. Retirer délicatement les ailes du barbecue. Servir immédiatement. Garnir chaque portion de quartiers de citron et de quelques câpres. Accompagner de riz blanc et d'asperges fraîches.

CONSEIL DE CHEF

Voici une recette de riz aromatisé aux herbes fraîches à la fois succulente et rapide. Faites sauter un petit oignon haché dans une casserole additionnée d'un peu d'huile. Ajoutez le riz et l'eau, puis portez à ébullition. Baissez le feu à doux, assaisonnez au goût de poivre du moulin, puis ajoutez quelques cuillères à thé (5 ml) de concentré de bouillon au choix et 3 ou 4 c. à soupe (45 ou 60 ml) de votre herbe fraîche préférée. Mélangez et faites cuire jusqu'à ce que le liquide soit complètement évaporé. Excellent !

BROCHETTES DE MAQUEREAU AU VINAIGRE BALSAMIQUE ET À L'HUILE DE NOIX 4-6 PORTIONS

2 lb 900 g	filets de maquereau d'environ 1 po (2,5 cm) d'épaisseur
¼ tasse 60 ml	vinaigre balsamique
¼ tasse 60 ml	huile de noix
3 c. à soupe 45 ml	huile végétale
	Poivre du moulin
	Origan sec
8	tomates séchées dans l'huile
1	oignon espagnol coupé en quartiers

1 Découper les filets de maquereau en gros cubes. Les mettre dans un bol en verre. Les mouiller avec le vinaigre et les deux huiles, puis les assaisonner au goût de poivre et d'origan. Mélanger, puis laisser mariner 1 heure.

2 Enfiler les cubes de maquereau sur des brochettes en alternant avec des tomates séchées et des quartiers d'oignon. Réserver les brochettes sur une assiette. Transvider le reste de la marinade dans un petit bol, puis la réserver.

3 Préchauffer le barbecue à feu moyen. Une fois que la grille est chaude, la gratter pour la nettoyer, puis bien la huiler. Déposer les brochettes sur la grille, puis les cuire 4-6 minutes de chaque côté. Les badigeonner de marinade après les avoir retournées. Retirer les brochettes du gril, puis les servir immédiatement. Accompagner d'une salade de fenouil aux mandarines et de petites pommes de terre cuites à la vapeur.

CONSEIL DE CHEF

Il existe une règle de base dans la cuisson du poisson à laquelle il ne faut jamais déroger : ne le faites pas trop cuire ! Peu importe sa coupe ou son type, la cuisson du poisson sur le barbecue est rapide et efficace ; alors, soyez vigilant et retirez-le du gril aussitôt que la chair n'est plus luisante et qu'elle commence à se défaire. Certains poissons se consomment même saignants, comme le thon rouge, le saumon (cela dépend des goûts), le mahi-mahi, le flétan, l'espadon, etc. Mieux vaut cuire le poisson un peu moins, quitte à le remettre sur le feu quelques minutes de plus pour terminer la cuisson. Manipulez toujours le poisson sur le barbecue avec beaucoup de délicatesse et huilez-le généreusement avant de le déposer sur la grille.

BALUCHONS DE RAIE GRILLÉE 4 PORTIONS

1	aile de raie de 1 lb (454 g)
2	aubergines parées et coupées en 16 tranches sur la longueur (exclure les tranches extérieures)
2	grosses tomates parées et tranchées en quatre rondelles chacune
	Sel et poivre
16	feuilles de basilic frais
8 oz 227 g	fromage mozzarella coupé en huit tranches
	Noix de pin grillées

MARINADE MÉDITERRANÉENNE

¼ tasse 60 ml	huile d'olive
3	échalotes sèches hachées finement
2	gousses d'ail hachées finement
¼ tasse 60 ml	vin blanc
	Poivre du moulin

VINAIGRETTE AUX TOMATES ET AU VINAIGRE BALSAMIQUE

¼ tasse 60 ml	huile d'olive
1 c. à soupe 15 ml	vinaigre balsamique
1 c. à soupe 15 ml	pâte de tomate
1 c. à soupe 15 ml	jus de citron
	Sel et poivre du moulin

CONSEIL DE CHEF

Il est préférable de ne tourner la viande ou le poisson qu'une seule fois durant la cuisson ; pour ce faire, vous n'avez qu'à attendre un peu plus longtemps. La pièce gardera presque à coup sûr sa forme tout en conservant de belles traces de grillage sur chaque côté. Les mets seront aussi plus tendres, car ils seront mieux saisis.

1. Déposer l'aile de raie dans un grand plat en verre. La mouiller avec la marinade méditerranéenne, puis la laisser mariner 30-60 minutes au réfrigérateur.
2. Préchauffer le barbecue à feu moyen. Une fois que la grille est chaude, la gratter pour la nettoyer, puis bien la huiler. Disposer la raie sur la grille (ou dans un panier troué à barbecue). Cuire 8 minutes de chaque côté ou jusqu'à ce que la chair se détache facilement. Tourner la raie avec beaucoup de précautions. La badigeonner de marinade après l'avoir retournée.
3. Retirer la raie du gril, puis la déposer sur une surface de travail. À l'aide d'une fourchette, retirer la chair de l'os central. La mettre dans un grand bol, puis la réserver. Jeter l'os.
4. Griller les tranches d'aubergines sur la grille huilée du barbecue 2-3 minutes de chaque côté. Les retirer du gril, puis les déposer sur la surface de travail. Mettre deux tranches d'aubergines en forme de croix sur une plaque allant au four huilée. Déposer une rondelle de tomate au centre de la croix. Saler et poivrer. Étager par-dessus la tomate, une feuille de basilic, une tranche de mozzarella, un peu de chair de raie et une autre feuille de basilic. Saler et poivrer de nouveau. Replier les tranches d'aubergines par-dessus le mélange afin de sceller le baluchon. Répéter l'opération avec le reste des ingrédients pour former sept autres baluchons.
5. Préchauffer le four à « broil ». Déposer la plaque sur l'étage inférieur du four, puis griller les baluchons 5 minutes de chaque côté. On peut aussi les griller au barbecue, sur une grille bien huilée, à feu moyen.
6. Retirer la plaque du four, puis servir immédiatement deux baluchons par portion. Mouiller chaque portion avec de la vinaigrette aux tomates et au vinaigre balsamique au goût. Garnir de feuilles de basilic frais ciselées et de noix de pin grillées. Accompagner de spaghettini à la sauce tomate.

MARINADE MÉDITERRANÉENNE

7. Dans une casserole, faire chauffer l'huile. Une fois que l'huile est chaude, ajouter les échalotes et l'ail. Cuire 1 minute. Ajouter le vin et faire mijoter 1 minute. Poivrer généreusement. Bien mélanger, puis réserver.

VINAIGRETTE AUX TOMATES ET AU VINAIGRE BALSAMIQUE

8. Dans un bol, bien mélanger tous les ingrédients. Saler et poivrer au goût. Réserver.

BROCHETTES DE REQUIN AU PAPRIKA 4 PORTIONS

1⅔-2 lb 750-900 g	filets de requin d'environ 1 po (2,5 cm) d'épaisseur
1 c. à soupe 15 ml	paprika moulu
3 c. à thé 15 ml	curcuma moulu
1 c. à thé 5 ml	moutarde sèche
2	tiges de citronnelle fraîche, hachées très finement
1 c. à thé 5 ml	poivre noir moulu grossièrement
	Olives noires dénoyautées
	Huile d'olive

CONSEIL DE CHEF

Pourquoi ne pas essayer de cuire vos mets sur une planche de bois de cèdre et leur donner une saveur unique ? Procurez-vous une planche de bois de cèdre non traité d'environ 10 po x 10 po (25 cm x 25 cm) et de ½ po (1,25 cm) d'épaisseur à votre centre de rénovation. Faites tremper la planche dans l'eau de 12 à 24 heures. Préchauffez votre barbecue au maximum pendant 15 minutes. Déposez la planche de bois directement sur la grille. Fermez le couvercle et laissez reposer jusqu'à ce que le bois commence à fumer. Déposez vos mets directement sur la planche de cèdre et refermez le couvercle. Alouez un peu plus de temps que recommandé pour la cuisson, car elle est un peu plus lente. Si la planche commence à prendre légèrement en feu, aspergez-la d'eau. Délicieux !

1. Parer les filets de requin et conserver uniquement la chair. Déposer les morceaux de chair dans un plat rectangulaire. Réserver au réfrigérateur.

2. Mettre le paprika, le curcuma, la moutarde, les tiges de citronnelle et le poivre noir dans un petit bol, puis mélanger. Enrober les filets de requin du mélange d'épices. Bien taper la chair avec les mains pour y imprégner les assaisonnements. Couvrir et réfrigérer 2 heures.

3. Retirer les filets de requin du réfrigérateur, puis les déposer sur une surface de travail. Couper le poisson en cubes, puis les enfiler sur des brochettes en alternant avec des olives noires dénoyautées. Badigeonner généreusement les brochettes d'huile, puis les réserver sur une assiette.

4. Préchauffer le barbecue à feu moyen-élevé. Une fois que la grille est chaude, la gratter pour la nettoyer, puis bien la huiler. Déposer les brochettes sur le gril, puis les cuire quelques minutes de chaque côté. Les brochettes sont prêtes lorsque la chair commence tout juste à se détacher. Retirer les brochettes du gril, puis les servir immédiatement. Accompagner d'une salade César et de quartiers de frites maison.

SERPENTINS D'ESPADON À L'ORANGE 4-6 PORTIONS

2 lb 900 g	steaks d'espadon
2	oranges découpées en suprêmes
	Huile de sésame ou d'olive

MARINADE À L'ORANGE

2 c. à thé 10 ml	estragon sec
	Zeste haché finement d'une orange
2	grosses gousses d'ail écrasées
1 c. à thé 5 ml	moutarde sèche
⅔ tasse 160 ml	jus d'orange
½ tasse 125 ml	vin blanc
	Sel et poivre

1 Parer les steaks d'espadon, puis les couper en languettes d'environ ¼ po (6 mm) de large et de 5 po (12,5 cm) de long. Les mettre dans un plat en verre pas trop grand. Les mouiller avec la marinade à l'orange, puis mélanger. Couvrir et réfrigérer 3-4 heures.

2 Retirer le plat du réfrigérateur. Enfiler les languettes d'espadon en serpentin sur des brochettes en alternant avec un suprême d'orange toutes les deux enfilades. Vous pouvez enfiler 2-3 languettes par brochette. Réserver les brochettes sur une assiette de service, puis les badigeonner d'huile. Réduire le reste de la marinade dans une petite casserole jusqu'à l'obtention d'une sauce. La réserver pour le service.

3 Préchauffer le barbecue à feu moyen-élevé. Bien nettoyer la grille, puis la huiler. Y déposer les brochettes de serpentins d'espadon. Les griller 4-5 minutes au total, en les tournant à quelques reprises. Retirer les brochettes du feu, puis en servir 1-2 par personne sur un lit de couscous aux asperges. Accompagner de la marinade réduite et d'une salade verte. Garnir de quartiers d'oranges.

MARINADE À L'ORANGE

4 Mettre tous les ingrédients dans une casserole, puis saler et poivrer au goût. Porter à ébullition. Retirer immédiatement du feu, puis laisser refroidir un peu avant d'utiliser.

BROCHETTES DE THON ROUGE SUR CHAMPIGNONS PORTOBELLO GRILLÉS 4-6 PORTIONS

2 lb 900 g	thon rouge coupé en gros cubes
1	gros poivron vert paré et coupé en gros cubes
	Tomates cerises
4-6	champignons portobello, le pied retiré
	Graines de sésame grillées

VINAIGRETTE AU SOYA ET AU SÉSAME

1	morceau de gingembre d'environ 2 po (5 cm) de long
4	échalotes vertes tranchées grossièrement
⅓ tasse 80 ml	coriandre fraîche
2	gousses d'ail dégermées
⅓ tasse 80 ml	sauce soya
⅓ tasse 80 ml	huile végétale
4 c. à soupe 60 ml	vinaigre blanc
2 c. à soupe 30 ml	huile de sésame
1 c. à thé 5 ml	poivre noir moulu

1 Mettre les cubes de thon rouge et de poivron vert dans un sac en plastique à fermeture hermétique, puis mouiller avec la moitié de la vinaigrette au soya et au sésame. Sceller le sac en retirant le plus d'air possible, puis bien remuer. Réfrigérer 2-3 heures.

2 Retirer le sac du réfrigérateur. Alterner les cubes de thon et de poivron ainsi que quelques tomates cerises sur des brochettes, puis les déposer sur une assiette de service. Mouiller avec le reste de la marinade contenue dans le sac. Réserver.

3 Mettre les quatre champignons portobello, côté ouvert vers le haut, sur une autre grande assiette de service, puis les badigeonner généreusement d'environ la moitié du reste de la vinaigrette.

4 Préchauffer le barbecue à feu moyen-élevé. Bien nettoyer la grille, puis la huiler généreusement. Y déposer les champignons, côté ouvert vers le haut. Les cuire 4-5 minutes. Retourner les champignons, puis ajouter les brochettes. Continuer la cuisson un autre 4 minutes et retourner les brochettes de thon après 2 minutes. Badigeonner le tout du reste de la vinaigrette contenue dans les deux assiettes de service. Retirer immédiatement les brochettes et les champignons du feu, puis les réserver sur une surface de travail.

5 Déposer un champignon grillé au centre de chaque assiette, puis déposer sur le dessus 1-2 brochettes de thon. Mouiller avec le reste de la vinaigrette, puis décorer de graines de sésame grillées. Entourer de riz blanc. Servir immédiatement.

VINAIGRETTE AU SOYA ET AU SÉSAME

6 Peler le morceau de gingembre, puis le couper en tranches. Les mettre dans un robot culinaire avec le reste des ingrédients, puis réduire le tout jusqu'à l'obtention d'une vinaigrette bien intégrée et homogène.

7 Transvider dans un contenant à fermeture hermétique, puis réserver quelques heures pour laisser le temps aux saveurs de se développer.

PRODUIT DE FRANCE
DOMAINE DU VIEIL AVEN
TAVEL
APPELLATION TAVEL CONTRÔLÉE
2000

FILETS DE SAUMON GRILLÉS SUR BOIS 4 PORTIONS

1	planche de bois non traité de 15 po x 10 po (38 cm x 25 cm)
4	filets de saumon d'environ 6 oz (170 g) chacun, sans peau
	Huile végétale
4 c. à soupe 60 ml	huile d'olive ou de noix
2	gousses d'ail hachées finement
1 c. à thé 5 ml	origan sec
1 c. à thé 5 ml	poivre noir moulu grossièrement

1 En cuisant votre poisson (ou tout autre mets) de cette façon, vous découvrirez une formidable technique de cuisson qui transmet un goût de bois à vos mets sans les longues heures requises par les techniques de fumage traditionnelles. Vous pouvez choisir n'importe quel type de bois, à condition qu'il ne soit pas traité. Le cèdre fait très bien l'affaire. Vous devez tremper votre planche de bois 12-24 heures dans l'eau.

2 Déposer les filets de saumon dans un grand plat en verre, puis bien les huiler de chaque côté. Les réserver. Dans un petit bol, bien mélanger le reste des ingrédients. Recouvrir le dessus des filets de ce mélange. Réserver.

3 Préchauffer le barbecue à feu élevé, puis bien nettoyer la grille. Une fois que le barbecue est bien chaud, y déposer la planche de bois mouillée, puis couvrir. Aussitôt que le bois commence à fumer (2 minutes environ), déposer délicatement les filets de saumon sur la planche de bois, puis couvrir. Cuire le poisson de cette façon environ 7-8 minutes ou jusqu'à ce que la chair se défasse facilement. Si la planche de bois brûle trop vite ou prend légèrement en feu, baisser le feu au minimum, puis l'asperger d'eau avec un vaporisateur.

4 Retirer la planche de bois du barbecue, puis la déposer sur une surface de travail. Servir délicatement un filet de saumon par personne. Accompagner de frites maison, d'une salade verte et d'une sauce au concombre. Selon l'état de la planche, vous pourrez la réutiliser.

SALSAS PASSE-PARTOUT

Ces salsas accompagneront merveilleusement bien les croustilles de tortillas, les poissons, les fruits de mer, les viandes blanches et les autres grillades légères.

SALSA ROUGE MEXICAINE

6-8 portions

1	boîte de 19 oz (540 ml) de tomates en dés
1	gros poivron vert paré et coupé en petits dés
1	oignon blanc moyen, haché
2 c. à soupe 30 ml	pâte de tomate
3 c. à soupe 45 ml	vinaigre blanc
2 c. à soupe 30 ml	huile végétale
2	grosses gousses d'ail dégermées et hachées finement
2 c. à soupe 30 ml	cassonade foncée bien compactée
2 c. à thé 10 ml	coriandre moulue
1-2 c. à thé 5-10 ml	sauce forte
2 c. à thé 10 ml	sel de céleri

1 Mettre tous les ingrédients dans un bol, puis bien mélanger. Couvrir, puis laisser reposer quelques heures au réfrigérateur pour laisser les saveurs se développer. Servir avec des croustilles de tortillas, des tranches minces de baguette grillées ou des quartiers de pitas grillés.

SALSA AU MAÏS ET AUX HARICOTS NOIRS

6-8 portions

1 tasse 250 ml	maïs en grains en boîte, bien égoutté
1 tasse 250 ml	petits haricots noirs en boîte, égouttés
1	boîte de 19 oz (540 ml) de tomates en dés
1	poivron vert paré et coupé en petits cubes
3 c. à soupe 45 ml	vinaigre de riz ou de vin blanc
2 c. à thé 10 ml	poudre d'ail
3 c. à soupe 45 ml	flocons d'oignon déshydratés
2 c. à thé 10 ml	poudre de chili
½ c. à thé 2,5 ml	sel de mer

1 Mettre tous les ingrédients dans un bol, puis bien mélanger. Couvrir, puis laisser reposer quelques heures au réfrigérateur pour laisser les saveurs se développer. Cette salsa accompagnera très bien la volaille, le porc, le poisson, les fruits de mer et, naturellement, les croustilles de tortillas.

SALSA AUX PIMENTS FORTS ET À L'AIL RÔTI

6-8 portions

6	grosses gousses d'ail dégermées et hachées grossièrement
	Huile
1	boîte de 28 oz (796 ml) de tomates assaisonnées, en cubes
3 c. à soupe 45 ml	vinaigre blanc
1	petit oignon jaune haché
1-2	petits piments forts épépinés (ou non !), hachés finement
1-2 c. à thé 5-10 ml	sauce forte
½ c. à thé 2,5 ml	cumin moulu
1 c. à thé 5 ml	sel de mer

1 Préchauffer le four à 425 °F (220 °C). Étendre l'ail haché sur une petite plaque allant au four bien huilée, puis la mettre au four. Griller l'ail 4-5 minutes ou jusqu'à ce qu'il soit d'un beau brun doré. Tourner l'ail à la mi-cuisson. Retirer la plaque du four, puis laisser refroidir complètement.

2 Mettre l'ail grillé dans un bol moyen, puis ajouter le reste des ingrédients. Mélanger, puis couvrir et réfrigérer quelques heures avant de servir pour laisser les saveurs se développer. Cette salsa accompagne très bien des croustilles de tortillas ou du poulet grillé.

LOUIS ROCHE
1999
VIEILLES VIGNES
Pinot Noir

STEAKS DE SAUMON GRATINÉS AU FROMAGE DE CHÈVRE, VINAIGRETTE AUX TOMATES SÉCHÉES 4 PORTIONS

4	darnes de saumon de 7 oz (200 g) chacune
	Sel et poivre
	Graines d'aneth
	Jus de citron
	Huile d'olive
4	rondelles de fromage de chèvre de 2 po (5 cm) de diamètre

VINAIGRETTE AUX TOMATES SÉCHÉES

1 c. à soupe 15 ml	gingembre frais, pelé et haché finement
2	gousses d'ail écrasées
2	échalotes françaises hachées
	Jus et zeste haché de deux limes
1 c. à soupe 15 ml	vinaigre de vin rouge
1 c. à soupe 15 ml	moutarde de Dijon
1 c. à thé 5 ml	sucre granulé
⅔ tasse 160 ml	tomates séchées dans l'huile, hachées finement
½ c. à thé 2,5 ml	sel
1 c. à thé 5 ml	poivre noir moulu grossièrement
	Origan et thym secs
¾ tasse 180 ml	huile d'olive

1. Mettre les darnes sur une grande assiette de service, puis les assaisonner au goût de sel, de poivre et de graines d'aneth. Bien taper la chair pour imprégner les assaisonnements. Mouiller les darnes avec le jus de citron et l'huile d'olive, puis réserver 15 minutes.
2. Préchauffer le barbecue à feu moyen-élevé. Bien nettoyer la grille, puis la huiler. Y déposer les darnes de saumon. Les griller 4-5 minutes, puis les retourner délicatement. Déposer immédiatement une rondelle de fromage de chèvre sur le dessus de chaque darne, puis baisser le feu à moyen.
3. Couvrir partiellement, puis continuer la cuisson 5 minutes. Retirer les darnes du barbecue lorsque la chair commence tout juste à se détacher et que le fromage est légèrement fondu. Servir immédiatement un steak par personne nappé partiellement de vinaigrette aux tomates séchées. Accompagner de pâtes au pesto.

VINAIGRETTE AUX TOMATES SÉCHÉES

4. Mettre tous les ingrédients, sauf l'huile, dans un bol, puis bien mélanger jusqu'à ce que le tout soit bien intégré. Incorporer l'huile d'olive en filet tout en fouettant.
5. Laisser reposer 1 heure à la température ambiante pour laisser le temps aux saveurs de se développer. Utiliser la quantité requise, puis réserver le reste au réfrigérateur dans un contenant hermétique.

THON GRILLÉ AUX ARÔMES DE MIEL 4 PORTIONS

2 lb 900 g	thon coupé en 4 gros morceaux (filets ou steaks)
	Huile d'olive
	Sel et poivre

MARINADE AU MIEL

1 c. à thé 5 ml	cumin moulu
1 c. à thé 5 ml	moutarde sèche
3 c. à soupe 45 ml	miel liquide
2 c. à soupe 30 ml	huile de sésame
4 c. à soupe 60 ml	huile d'olive
3 c. à soupe 45 ml	vinaigre de riz
2-3 c. à soupe 30-45 ml	menthe fraîche ciselée

1. Déposer les quatre filets de thon dans un grand plat creux. Les saler et les poivrer des deux côtés, puis les huiler légèrement. Mouiller avec la marinade au miel, puis retourner les steaks pour bien les imbiber de la marinade. Laisser mariner 3-4 heures au réfrigérateur.
2. Préchauffer le barbecue à feu moyen-élevé. Bien nettoyer la grille, puis la huiler. Y déposer les filets de thon. Les griller 3-4 minutes de chaque côté ou jusqu'à ce que la chair soit saisie de chaque côté mais encore légèrement saignante au centre. Badigeonner les filets du reste de la marinade durant la cuisson.
3. Retirer les filets du gril, puis en servir un par personne sur un lit de feuilles de laitues fines. Accompagner de pommes de terre au barbecue et d'une salade César.

MARINADE AU MIEL

4. Dans un bol, bien fouetter tous les ingrédients jusqu'à ce que la moutarde et le cumin soient bien intégrés. Réserver au réfrigérateur.

VIN DES CÔTES DU RHÔNE
2000
LIRAC
APPELLATION LIRAC CONTRÔLÉE
LOUIS ROCHE®
2000
BOURGOGNE PASSE-TOUT-GRAINS
RED WINE - VIN ROUGE
PRODUCT OF FRANCE - PRODUIT DE FRANCE
12,5% alc./vol.
LOUIS ROCHE®

PAVÉ DE SAUMON AU BEURRE DE TOMATES ET DE BASILIC 4 PORTIONS

4	morceaux épais de filet de saumon de 7 oz (200 g) chacun
	Sel de mer et poivre noir du moulin
	Graines de céleri
	Poudre d'oignon ou d'ail
	Jus de deux citrons
	Huile d'olive

BEURRE DE TOMATES ET DE BASILIC

⅓ tasse 80 ml	tomates séchées dans l'huile, égouttées
⅓ tasse 80 ml	basilic frais ciselé
2 c. à thé 10 ml	pâte de tomate
2 c. à thé 10 ml	sucre granulé
½ c. à thé 2,5 ml	sel de mer
½ tasse 125 ml	beurre ramolli

CONSEIL DE CHEF

Pour réussir le saumon au barbecue, huilez-le bien et, surtout, ne le faites pas trop cuire. Ensuite, vérifiez la chair du poisson au centre; si elle se détache facilement et qu'elle est rose pâle uniformément, retirez immédiatement le saumon du gril et servez-le. Si, au contraire, sa chair est encore d'un léger rouge translucide et qu'elle ne se détache pas bien, continuez la cuisson quelques minutes de plus. En général, le saumon prendra de 8 à 12 minutes (selon les coupes) à cuire sur le gril (à part le saumon entier).

1. Déposer les pavés de saumon, côté peau vers le bas, dans un plat en verre juste assez grand pour les contenir. Saler et poivrer au goût chaque côté, puis les saupoudrer de graines de céleri et de poudre d'oignon ou d'ail. Taper la chair du saumon avec les mains pour bien faire pénétrer les assaisonnements. Mouiller avec le jus de citron, puis réserver 60 minutes. Retourner les pavés de saumon après 30 minutes.

2. Égoutter l'excédent de liquide dans le plat contenant le saumon. Bien huiler les pavés, puis les réserver. Préchauffer le barbecue à feu élevé. Une fois la grille bien chaude, la gratter pour la nettoyer, puis baisser le feu à moyen. Huiler la grille.

3. Déposer délicatement les pavés de saumon sur la grille, côté peau vers le bas, puis les cuire environ 5 minutes de chaque côté. Retirer les morceaux de saumon du gril, puis en servir un par portion. Déposer deux rondelles de beurre de tomates et de basilic sur le dessus de chaque pavé, puis servir immédiatement. Accompagner de pâtes crémeuses et de brocoli étuvé.

BEURRE DE TOMATES ET DE BASILIC

4. Mettre les tomates séchées et les feuilles de basilic sur une surface de travail, puis hacher le tout très finement avec un grand couteau. Transférer le hachis dans un bol, puis ajouter le reste des ingrédients.

5. Travailler le mélange avec le dos d'une fourchette jusqu'à l'obtention d'un beurre bien intégré. Le déposer au centre d'une pellicule de plastique, puis le façonner en rondin. L'envelopper dans la pellicule de plastique, puis réfrigérer quelques heures avant de servir. Excellent pour garnir le poisson, le poulet et le porc grillés.

BROCHETTES DE SAUMON ET DE CAMEMBERT CROUSTILLANT 4 PORTIONS

½ lb 227 g	fromage camembert avec croûte, refroidi et coupé en 16 morceaux
1 ⅓ lb 600 g	cubes de saumon de ½ po (1,25 cm)
1 c. à thé 5 ml	moutarde sèche
	Jus d'un citron
	Huile d'olive
	Graines d'aneth
	Sel et poivre
6-8	grandes tranches de prosciutto pliées en deux sur la longueur
1	gros poivron vert coupé en carrés
	Feuilles d'aneth frais, ciselées

1 Déposer les morceaux de camembert sur une grande assiette, côté peau vers le bas, puis les congeler 2 heures. Entre-temps, mettre les cubes de saumon dans un bol, puis ajouter la moutarde et le jus de citron. Mouiller avec un peu d'huile, puis assaisonner au goût de graines d'aneth, de sel et de poivre. Mélanger, puis couvrir. Réfrigérer 1-2 heures.

2 Couper les tranches de prosciutto pliées en languettes de la largeur des cubes de camembert. Réserver. Retirer les morceaux de fromage du congélateur, puis enrouler chacun d'eux d'une languette de prosciutto. Positionner les cubes de fromage de façon que les côtés non recouverts de prosciutto soient du côté peau du fromage. Enfiler immédiatement les cubes de saumon sur des brochettes en alternant avec des morceaux de fromage (piqués dans le prosciutto) et des carrés de poivron. Remettre au congélateur 10 minutes.

3 Entre-temps, préchauffer le barbecue à feu élevé. Une fois la grille bien chaude, la gratter pour la nettoyer, puis baisser le feu à moyen-élevé. Huiler la grille.

4 Retirer les brochettes du congélateur, puis les vaporiser d'huile. Les déposer sur le gril et les cuire 10 minutes, en couvrant partiellement, ou jusqu'à ce que les morceaux de saumon ne soient plus rougeâtres au centre. Tourner les brochettes délicatement à quelques reprises durant le grillage.

5 Retirer immédiatement les brochettes du gril, puis en servir 1-2 par personne sur un lit de riz citronné. Décorer d'aneth frais. Accompagner d'une salade du chef.

SERPENTINS DE SAUMON AUX PLEUROTES, SAUCE CRÉMEUSE À L'INDIENNE 4 PORTIONS

1	morceau de filet de saumon de 2 lb (900 g)
1 ½ tasse 375 ml	pleurotes coupés en bouchées
	Huile aromatisée au choix (basilic, tomates séchées, etc.)
	Jus d'une lime
	Poudre d'oignon
	Flocons d'oignon déshydratés
	Poivre noir du moulin
	Sel

SAUCE CRÉMEUSE À L'INDIENNE

¾ tasse 180 ml	crème 35 %, à cuisson
⅓ tasse 80 ml	bouillon de poulet
1 c. à thé 5 ml	curcuma moulu
2 c. à thé 10 ml	poudre de curry moyenne
1	anis étoilé

1 Retirer la peau sur le filet de saumon, puis le trancher en languettes d'environ ¼ po (6 mm) d'épaisseur et de 4 po (10 cm) de long. Mettre les languettes de saumon dans un plat moyen à fond plat, puis ajouter les bouchées de pleurotes.

2 Mouiller au goût avec l'huile aromatisée, puis le jus de lime. Assaisonner généreusement de poudre d'oignon, de flocons d'oignon et de poivre noir du moulin. Saler au goût, puis mélanger. Couvrir et laisser reposer 2-4 heures au réfrigérateur.

3 Retirer le plat du réfrigérateur. Enfiler les languettes de saumon en serpentin sur des brochettes en alternant avec des bouchées de pleurotes. Réserver les brochettes sur une grande assiette de service. Mouiller le dessus des brochettes avec le reste du liquide de macération.

4 Préchauffer le barbecue à feu élevé. Une fois la grille bien chaude, la gratter pour la nettoyer, puis baisser le feu à moyen. Huiler la grille.

5 Déposer les brochettes de saumon sur la grille, puis les cuire 7-8 minutes au total, en les tournant à quelques reprises. Badigeonner les brochettes durant la cuisson avec le reste du liquide de macération contenu dans l'assiette de service. Retirer les brochettes du gril, puis en servir immédiatement 1-2 par portion sur un lit d'épinards blanchis. Napper esthétiquement chaque portion d'un généreux filet de sauce crémeuse à l'indienne. Servir immédiatement. Accompagner de petites pommes de terre nouvelles grillées au barbecue.

SAUCE CRÉMEUSE À L'INDIENNE

6 Mettre tous les ingrédients dans une petite casserole, puis porter à ébullition à feu moyen-élevé en brassant. Baisser le feu et laisser mijoter quelques minutes pour bien infuser les épices et l'anis étoilé. Retirer la casserole du feu, puis couvrir et laisser reposer quelques minutes avant de servir. Excellent comme sauce d'accompagnement pour le poulet, les fruits de mer et le poisson.

ESPADON GRILLÉ À LA SALSA DE MELON 4 PORTIONS

1⅔-2 lb 750-900 g	steaks d'espadon (environ deux darnes coupées en deux)
⅓ tasse 80 ml	huile d'olive
2	gousses d'ail écrasées
4	échalotes tranchées finement
	Poivre noir du moulin

SALSA AU MELON

½	oignon blanc haché finement
2 tasses 500 ml	chair de melon miel coupée en petits cubes
2	tomates mûres parées et coupées en petits cubes
1	poivron paré et haché
3 c. à soupe 45 ml	basilic frais haché
¼ tasse 60 ml	huile d'olive
	Jus d'un citron

CONSEIL DE CHEF

Les filets et les steaks de poisson d'espèces charnues (comme le bar, le flétan, l'espadon, le thon, le requin, le brochet, le saumon, le mahi-mahi ou le doré) ayant au moins 1 po (2,5 cm) d'épaisseur peuvent être cuits directement sur le gril ; cela prendra environ 10 minutes. Avec un filet de 1 ½ po (4 cm) et plus, fermez le couvercle du barbecue pour favoriser une meilleure répartition de la chaleur dans la chair. Les filets minces, comme ceux de l'aiglefin ou de la sole, doivent être cuits dans une papillote de papier d'aluminium ou sur une plaque trouée pour barbecue.

1 Mettre les quatre steaks d'espadon dans un plat rectangulaire en verre. Dans un petit bol, bien fouetter le reste des ingrédients. Verser ce liquide sur les steaks et laisser reposer 30 minutes.

2 Préchauffer le gril à feu moyen-élevé. Bien huiler la grille du barbecue. Déposer les steaks sur le gril, puis les griller 7-8 minutes de chaque côté ou jusqu'à ce que la chair se détache facilement. Badigeonner de la marinade durant la cuisson. Retirer les steaks du gril et en servir un par portion. Garnir partiellement et esthétiquement chaque steak de la salsa au melon. Accompagner de pâtes aux épinards à l'huile.

SALSA AU MELON

3 Dans un bol moyen, mélanger délicatement tous les ingrédients. Laisser reposer une heure avant de servir pour laisser les saveurs se développer. Couvrir et réserver au réfrigérateur.

Grillades de bœuf

FILET MIGNON AU SOYA, VINAIGRETTE DE PAPAYE ET DE PISTACHES **4 PORTIONS**

1 ⅔ lb 750 g	filet de bœuf dégraissé (en un morceau)
	Mélange de quatre poivres moulus grossièrement
	Sauce soya
	Tranches de papaye
	Pistaches écalées

VINAIGRETTE DE PAPAYE ET DE PISTACHES

3 c. à soupe 45 ml	huile d'olive
1 c. à soupe 15 ml	vinaigre de fruits au choix (framboise, canneberge, etc.)
1	gousse d'ail hachée
4 c. à soupe 60 ml	chair de papaye bien mûre et écrasée
5 c. à soupe 75 ml	pistaches écalées, puis hachées
	Sel et poivre

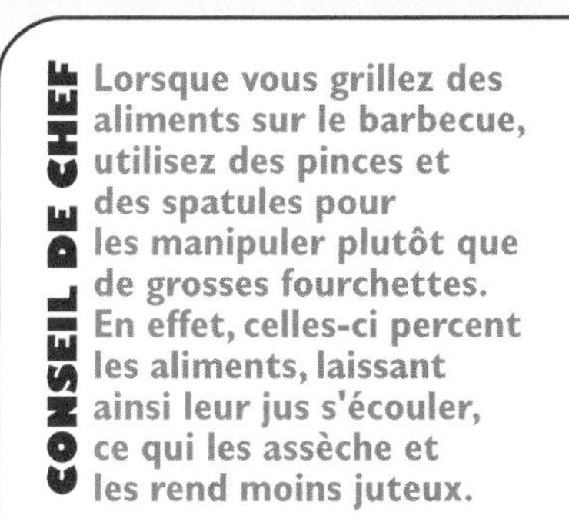

1 Couper le filet de bœuf en tranches d'environ ¾ po (1,5 cm) d'épaisseur, puis les assaisonner du mélange de quatre poivres. Bien taper la viande pour imprégner le poivre dans la chair. Déposer les tranches de bœuf sur une grande assiette, puis les badigeonner de sauce soya. Réserver 30 minutes.

2 Préchauffer le barbecue à feu élevé. Bien nettoyer la grille, puis la huiler légèrement. Déposer les tranches de filet de bœuf sur la grille du barbecue, puis les cuire environ 3 minutes de chaque côté (médium-saignant) ou plus selon la cuisson désirée. Badigeonner la viande de sauce soya durant la cuisson.

3 Retirer la viande du gril, puis servir immédiatement 1-2 tranches par personne. Napper chaque portion d'un peu de vinaigrette de papaye et de pistaches. Garnir chaque assiette de tranches de papaye et de pistaches. Accompagner d'une salade de tomates et d'oignon et d'un riz aux carottes.

VINAIGRETTE DE PAPAYE ET DE PISTACHES

4 Mettre tous les ingrédients dans un bol, puis assaisonner au goût de sel et de poivre. Bien mélanger. Réserver au réfrigérateur. Laisser revenir à la température de la pièce avant de servir.

CÔTES LEVÉES DE L'OUEST 4 PORTIONS

2,2 lb / 1 kg	**bouts de côtes de bœuf avec l'os**

SAUCE À CÔTES LEVÉES

⅔ tasse / 160 ml	**sauce barbecue au choix**
¼ tasse / 60 ml	**café filtre fort**
¼ tasse / 60 ml	**miel liquide**
3 c. à soupe / 45 ml	**vinaigre blanc**
2 c. à soupe / 30 ml	**moutarde de Dijon**
3 c. à soupe / 45 ml	**échalotes hachées**
3	**gousses d'ail hachées finement**
	Sauce tabasco
	Sauce Worcestershire

CONSEIL DE CHEF

Afin que la viande rouge reste très tendre, faites-la mariner dans la bière ou aspergez-la de cette boisson durant la cuisson. La pièce fondra dans la bouche !

1. Déposer les bouts de côtes de bœuf dans une grande casserole remplie d'eau bouillante, puis les laisser bouillir 5 minutes. Baisser le feu. Couvrir, puis laisser mijoter 60 minutes. Égoutter les côtes, puis les déposer dans un grand plat en verre.
2. Verser la sauce à côtes levées sur les côtes de bœuf, puis laisser mariner au réfrigérateur 12 heures. Les retourner quelques fois durant le marinage.
3. Préchauffer le barbecue à feu moyen. Bien nettoyer la grille, puis la huiler légèrement. Déposer les côtes sur la grille, puis baisser le feu à moyen-doux. Les cuire 15-20 minutes en les tournant de temps à autre et en les badigeonnant généreusement de sauce à côtes levées durant la cuisson.
4. Retirer les côtes levées du gril, puis les servir immédiatement. Accompagner de sauce à côtes levées.

SAUCE À CÔTES LEVÉES

5. Dans un bol, bien mélanger tous les ingrédients, puis assaisonner au goût de sauce tabasco et de sauce Worcestershire.

STEAKS GRILLÉS TRADITIONNELS 4 PORTIONS

4	**steaks au choix de 1 po (2,5 cm) d'épaisseur (New York, aloyau, faux-filet, etc.)**
2 c. à soupe / 30 ml	**épices à steak au choix**

CONSEIL DE CHEF

Pour obtenir des pièces de viande plus juteuses, enveloppez-les d'une feuille de papier d'aluminium immédiatement après les avoir retirées du four ou du barbecue pendant environ 10 minutes. Le résultat est garanti.

1. Sortir les steaks de leur emballage au moins 12-24 heures avant de les cuire, puis les déposer sur une grande assiette. Les réfrigérer, sans les couvrir, pour les laisser vieillir (ou encore mieux dans une chambre froide à 10 °C). Si cela est possible, vous pouvez acheter des steaks déjà vieillis chez votre boucher. Les steaks vieillis sont plus tendres et leur saveur est plus développée.
2. Retirer les steaks du réfrigérateur 1 heure avant de les cuire pour les laisser revenir à la température de la pièce. Les saupoudrer des deux côtés avec un peu d'épices à steak (attention : si vous mettez trop d'épices, vous allez perdre une partie de la saveur naturelle de la viande).
3. Préchauffer le barbecue à feu élevé. Bien nettoyer la grille, puis la huiler légèrement. Déposer les steaks sur le gril, puis les cuire 30 secondes de chaque côté. Baisser le feu à moyen-élevé, puis continuer la cuisson 3-4 minutes de chaque côté pour une cuisson saignante.
4. Retirer les steaks du gril. Les emballer dans une grande feuille de papier d'aluminium, puis les laisser reposer 5 minutes. Servir un steak par portion. Accompagner d'une salade et de pommes de terre au four.

BIFTECK D'ALOYAU, SAUCE DÉCOUVERTE 4 PORTIONS

4	biftecks d'aloyau d'environ ½ lb (227 g) chacun
	Poivre noir moulu grossièrement
	Épices à steak

SAUCE DÉCOUVERTE

2	échalotes vertes hachées
3 c. à soupe 45 ml	persil plat haché
2 c. à soupe 30 ml	coriandre fraîche hachée
1	petit oignon jaune haché
2	gousses d'ail hachées
1	petit piment fort au choix, épépiné et haché
	Zeste râpé d'une lime
	Jus de trois limes
	Sel et poivre
⅓ tasse 80 ml	huile de pépins de raisin ou de tournesol

1 Retirer les steaks du réfrigérateur 2-3 heures avant de les cuire. Les assaisonner de poivre et d'épices à steak des deux côtés, puis presser les assaisonnements avec la paume des mains pour bien les faire pénétrer dans la chair. Réserver à découvert.

2 Préchauffer le barbecue à feu élevé. Bien nettoyer la grille et la huiler légèrement. Y déposer les steaks et les cuire 5-6 minutes de chaque côté ou plus selon les goûts et leur épaisseur. Les retirer du gril et en servir un par personne. Accompagner de pommes de terre nouvelles et de haricots verts au miel. Servir chaque portion nappée d'un peu de sauce découverte.

SAUCE DÉCOUVERTE

3 Mettre les sept premiers ingrédients sur une grande planche de bois. Les hacher de nouveau ensemble, puis les transférer dans un bol moyen. Ajouter le jus de lime. Saler et poivrer au goût, puis mélanger. Verser l'huile d'olive en filet tout en mélangeant.

4 Couvrir, puis réfrigérer quelques heures avant de servir afin de laisser le temps aux saveurs de se développer. Excellent comme sauce d'accompagnement avec la viande et le poisson.

SOUS-MARINS DE STEAK AU CAMEMBERT 4 PORTIONS

4	steaks de bœuf minute ou steaks minces de 1/4 lb (115 g) chacun
	Sel et poivre
	Assaisonnement à l'italienne
1/4 lb 115 g	fromage camembert tranché mince
4	pains à sous-marins de 7 po (17,5 cm)
	Moutarde de Meaux ou à l'ancienne
	Laitue hachée
	Tranches de tomates

CONSEIL DE CHEF Pour obtenir de belles traces de grillage quadrillées sur une pièce de viande, huilez la grille et faites pivoter la viande d'un quart de tour à la mi-cuisson de chaque face.

1 Préchauffer le barbecue à feu élevé. Bien nettoyer la grille, puis la huiler légèrement. Déposer les steaks sur la grille. Les cuire 2 minutes, puis les retourner. Les assaisonner généreusement de sel, de poivre et d'assaisonnement à l'italienne, puis les recouvrir de 2-3 tranches de camembert chacun. Fermer le couvercle, puis cuire 2-3 minutes de plus ou jusqu'au degré de cuisson désiré.

2 Retirer les steaks du gril, puis les réserver sur une assiette. Griller les pains 30-60 secondes. Badigeonner un côté des pains de moutarde de Meaux, puis les garnir de laitue hachée et de tranches de tomates. Assaisonner au goût de sel, de poivre et d'assaisonnement à l'italienne. Déposer les steaks au camembert sur les légumes, puis servir les sous-marins immédiatement. Accompagner de maïs grillés.

STEAK DE FLANC AU VINAIGRE DE FRAMBOISE ET AUX KIWIS 4 PORTIONS

1	steak de flanc d'environ 1½ lb (680 g)
3	gousses d'ail pelées
	Poivre du moulin

MARINADE AUX FRAMBOISES ET AUX KIWIS

2 c. à soupe 30 ml	confiture de framboises
⅓ tasse 80 ml	vinaigre à la framboise
2	kiwis pelés et réduits en purée
3 c. à soupe 45 ml	huile

1 Déposer le steak dans un grand plat rectangulaire en pyrex. Frotter vigoureusement les deux côtés du steak avec les gousses d'ail entières, puis laisser les restes des gousses dans le plat. Poivrer généreusement les deux côtés. Verser la marinade aux framboises et aux kiwis sur la viande, puis la retourner deux fois pour bien l'enrober de marinade. Laisser mariner au réfrigérateur 4-24 heures. Tourner la viande 2-3 fois durant le marinage.

2 Retirer le plat du réfrigérateur, puis laisser reposer 1 heure à la température ambiante.

3 Préchauffer le barbecue à feu moyen-élevé. Bien nettoyer la grille, puis la huiler légèrement. Égoutter le steak, puis le déposer sur la grille. Cuire 7-8 minutes de chaque côté ou selon le degré de cuisson désiré (le flanc se mange idéalement médium-saignant).

4 Retirer le flanc du gril, puis le déposer sur une planche à découper. Le couper en tranches minces, en diagonale. Garnir chaque portion de quelques tranches de kiwis et de framboises. Accompagner d'un riz aux légumes. Servir immédiatement.

MARINADE AUX FRAMBOISES ET AUX KIWIS

5 Mettre la confiture dans un bol à fond plat, puis bien l'écraser avec le dos d'une fourchette. Ajouter graduellement le reste des ingrédients tout en mélangeant. Réserver au réfrigérateur dans un contenant hermétique.

MARINADES

MARINADE AUX ÉCHALOTES, À LA MANGUE ET AU FENOUIL

2 tasses (500 ml)

⅔ tasse 160 ml	huile d'olive
½ tasse 125 ml	vinaigre de vin rouge
¼ tasse 60 ml	échalotes sèches hachées
½	bulbe de fenouil haché
	Chair d'une mangue hachée, avec le jus

1 Dans un bol, bien mélanger tous les ingrédients. Réserver au réfrigérateur dans un contenant hermétique.

MARINADE AU VIN ET AUX HERBES FRAÎCHES

2 tasses (500 ml)

⅔ tasse 160 ml	vin rouge
½ tasse 125 ml	huile d'olive
2	gousses d'ail écrasées
4	échalotes vertes hachées
1 c. à thé 5 ml	moutarde sèche
4 c. à soupe 60 ml	herbes fraîches au choix, hachées (basilic, origan, romarin, etc.)
3 c. à soupe 45 ml	persil plat haché
	Sel et poivre

1 Dans un bol, bien mélanger tous les ingrédients. Réserver au réfrigérateur dans un contenant hermétique.

MARINADE AUX RAISINS ET AUX OLIVES NOIRES

2⅔ tasses (660 ml)

⅔ tasse 160 ml	huile
½ tasse 125 ml	raisins secs au choix
½ tasse 125 ml	olives noires dénoyautées
1	gousse d'ail
½	oignon moyen haché finement
	Jus d'un demi-citron
	Poivre du moulin
⅓ tasse 80 ml	jus de pomme

1 Mettre tous les ingrédients dans un mélangeur, puis poivrer au goût. Réduire jusqu'à l'obtention d'une purée lisse. Réserver au réfrigérateur dans un contenant hermétique.

MARINADE ÉPICÉE AUX TROIS MOUTARDES ET À LA BIÈRE

1 ¾ tasse (430 ml)

1 c. à soupe 15 ml	moutarde de Dijon
1 c. à soupe 15 ml	moutarde de Meaux ou à l'ancienne
1 c. à thé 5 ml	moutarde en poudre
¼ c. à thé 1 ml	piment de Cayenne
½ tasse 125 ml	huile d'olive
1 tasse 250 ml	bière au choix
	Sauce forte

1 Mettre les quatre premiers ingrédients dans un bol, puis bien mélanger. Verser graduellement l'huile et la bière tout en fouettant. Assaisonner au goût de sauce forte, puis mélanger. Réserver au réfrigérateur dans un contenant hermétique.

RÔTI DE FAUX-FILET AU BEURRE DE STILTON 6 PORTIONS

3 lb 1,36 kg	**rôti de faux-filet**
	Moutarde de Dijon
	Poivre

BEURRE DE STILTON

¼ tasse 60 ml	**beurre ramolli**
½ tasse 125 ml	**fromage stilton ou roquefort, à la température de la pièce**
1	**gousse d'ail hachée finement**
1 c. à soupe 15 ml	**ciboulette fraîche ciselée finement**
2 c. à soupe 30 ml	**brandy**

CONSEIL DE CHEF

Pour une présentation soignée, le beurre se façonne mieux lorsqu'il est froid. Passez un couteau sous l'eau chaude pour couper des cubes de beurre bien lisses. Faites de même avec une cuillère à melon pour former des boules. Utilisez un emporte-pièce pour créer des formes variées.

1. Retirer le rôti de son emballage. Le déposer dans un plat, puis le réfrigérer 24 heures, sans le couvrir, pour permettre à la surface de sécher.
2. Retirer le rôti du réfrigérateur. Le badigeonner de moutarde de Dijon, puis le poivrer au goût. Le laisser reposer 2 heures à la température de la pièce.
3. Préchauffer le barbecue à feu élevé. Bien nettoyer la grille, puis la huiler légèrement. Déposer le rôti sur la grille, puis le saisir 5 minutes de chaque côté. Baisser le feu à moyen-élevé. Couvrir, puis cuire 35 minutes (médium-saignant) ou jusqu'au degré de cuisson désiré. Tourner le rôti quelques fois durant la cuisson.
4. Retirer le rôti du gril, puis l'emballer dans une grande feuille de papier d'aluminium. Le laisser reposer 10 minutes avant de le couper en six tranches. Servir immédiatement une tranche par personne, garnie d'une rondelle de beurre de stilton. Accompagner de haricots jaunes cuits à la vapeur et de petits pois frais.

BEURRE DE STILTON

5. Dans un bol, bien intégrer tous les ingrédients avec le dos d'une fourchette. Déposer le beurre de stilton sur une pellicule de plastique, puis former un rouleau d'environ 6 po (15 cm) de long. Réfrigérer 3 heures avant de trancher en rondelles, puis servir.

BAVETTE À L'ÉCHALOTE ET AU XÉRÈS 4 PORTIONS

4	**steaks de bavette de 6 oz (170 g) chacun**
1 c. à soupe 15 ml	**fécule de maïs diluée dans 1 c. à soupe (15 ml) d'eau**

MARINADE AU XÉRÈS

½ tasse 125 ml	**huile d'arachide**
½ tasse 125 ml	**eau**
1 c. à soupe 15 ml	**concentré de bouillon de bœuf liquide**
1 c. à soupe 15 ml	**vinaigre balsamique**
2 c. à soupe 30 ml	**xérès**
1	**gousse d'ail hachée finement**
1 c. à soupe 15 ml	**moutarde de Meaux ou à l'ancienne**
4	**échalotes vertes hachées finement**
½ c. à thé 2,5 ml	**thym sec**
1 c. à thé 5 ml	**romarin sec**

1. Mettre les steaks dans un grand sac de plastique à fermeture hermétique, puis verser la marinade dans le sac. Sceller le sac en retirant le plus d'air possible. Remuer la viande dans le sac pour bien l'enrober de marinade. Réfrigérer 6-24 heures. Tourner le sac 2-3 fois durant le marinage.
2. Retirer les steaks de la marinade, puis les déposer sur une assiette. Les laisser reposer 1 heure à la température de la pièce. Transvider la marinade dans une petite casserole. Réserver.
3. Préchauffer le barbecue à feu élevé. Bien nettoyer la grille, puis la huiler légèrement. Déposer les steaks sur la grille, puis les cuire 5 minutes de chaque côté ou jusqu'au degré de cuisson désiré (idéalement médium-saignant).
4. Dans une casserole, porter la marinade à ébullition. Baisser le feu à moyen, puis cuire en brassant 5 minutes. Ajouter la fécule de maïs diluée, puis cuire 2 minutes de plus en brassant. Retirer la casserole du feu, puis laisser reposer la sauce 3 minutes. Napper chaque steak de sauce au goût. Servir immédiatement. Accompagner de pois mange-tout et de pommes de terre nouvelles grillées.

MARINADE AU XÉRÈS

5. Mettre tous les ingrédients dans un bol, puis bien mélanger. Réserver au réfrigérateur dans un contenant hermétique.

FILET MIGNON À LA SAUGE ET À LA MOUTARDE DE DIJON 4 PORTIONS

2 lb 900 g	filet de bœuf (en un morceau)
	Feuilles de sauge fraîche
	Moutarde de Dijon
1 c. à thé 5 ml	épices à steak, style Montréal
2 c. à thé 10 ml	sauge moulue
1 c. à thé 5 ml	poivre noir moulu grossièrement
1 c. à thé 5 ml	poudre d'oignon
1 c. à thé 5 ml	moutarde sèche

CONSEIL DE CHEF

Ne salez jamais les viandes avant la cuisson, car vous les assécheriez. Salez-les légèrement au goût une fois cuites ou durant le grillage.

1. Déposer le filet de bœuf sur une planche de bois, puis le piquer à quelques endroits. Insérer quelques feuilles de sauge dans chaque incision en les tassant bien. Badigeonner généreusement le filet de moutarde de Dijon, puis le réserver sur une assiette de service. Dans un petit bol, mélanger le reste des ingrédients. Saupoudrer le mélange d'herbes et d'épices sur le filet, puis, si nécessaire, le presser avec la paume des mains pour bien le faire pénétrer dans la chair. Laisser reposer 2-3 heures.

2. Préchauffer le barbecue à feu élevé. Bien nettoyer la grille, puis la huiler généreusement. Déposer le filet de bœuf sur la grille, puis le cuire 10 minutes. Baisser le feu à moyen-élevé, puis couvrir partiellement. Cuire une dizaine de minutes de plus (ou davantage selon le degré de cuisson désiré). Tourner le filet quelques fois durant la cuisson. Le retirer du gril, puis l'envelopper immédiatement dans une feuille de papier d'aluminium. Réserver 7-8 minutes.

3. Trancher le filet de bœuf, puis servir quelques tranches par personne. Garnir chaque portion d'une petite cuillerée de moutarde de Dijon et de quelques feuilles de sauge. Accompagner de haricots verts, d'une salade de tomates et d'oignon ainsi que de pain frais.

FILET DE BŒUF PARFUMÉ AU RHUM ET À L'AMANDE 4 PORTIONS

2,2 lb	1 kg	**filet de bœuf paré (un morceau)**
		Poivre
		Amandes grillées

MARINADE AU RHUM ET À L'AMANDE

½ tasse	125 ml	**rhum**
½ tasse	125 ml	**jus d'orange**
2 c. à thé	10 ml	**extrait d'amandes**
⅓ tasse	80 ml	**huile d'olive**

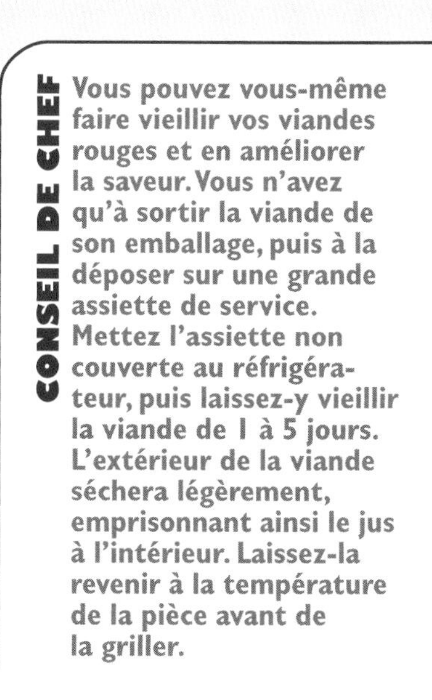

CONSEIL DE CHEF

Vous pouvez vous-même faire vieillir vos viandes rouges et en améliorer la saveur. Vous n'avez qu'à sortir la viande de son emballage, puis à la déposer sur une grande assiette de service. Mettez l'assiette non couverte au réfrigérateur, puis laissez-y vieillir la viande de 1 à 5 jours. L'extérieur de la viande séchera légèrement, emprisonnant ainsi le jus à l'intérieur. Laissez-la revenir à la température de la pièce avant de la griller.

1 Mettre le filet de bœuf dans un plat juste assez grand pour le contenir, puis le poivrer généreusement. Verser la marinade au rhum et à l'amande sur le filet. Couvrir, puis laisser mariner 2-4 heures en tournant la viande quelques fois durant le marinage.

2 Retirer le plat du réfrigérateur, puis le laisser reposer 1 heure à la température de la pièce.

3 Préchauffer le barbecue à feu moyen-élevé. Bien nettoyer la grille, puis la huiler généreusement. Égoutter le filet, puis le déposer sur la grille. Le cuire 7-8 minutes de chaque côté ou plus selon la cuisson désirée. Badigeonner la viande de marinade durant la cuisson. Retirer le filet du gril, puis l'envelopper immédiatement dans une feuille de papier d'aluminium. Réserver 7-8 minutes.

4 Trancher le filet, puis servir immédiatement quelques tranches par personne. Accompagner d'une salade de légumineuses et de pain à l'ail. Garnir chaque portion d'amandes grillées au goût.

MARINADE AU RHUM ET À L'AMANDE

5 Dans un bol, bien mélanger tous les ingrédients. Réserver la marinade au réfrigérateur dans un contenant hermétique.

STEAKS À LA TEXANE 4 PORTIONS

4	biftecks d'aloyau de 8-12 oz (227-340 g) chacun et de ¾ po (2 cm) d'épaisseur
4 c. à soupe 60 ml	sauce Worcestershire
6 c. à soupe 90 ml	jus de lime
8	gousses d'ail hachées finement
2 c. à soupe 30 ml	poivre noir concassé grossièrement
¼ c. à thé 1 ml	piment de Cayenne
1 c. à soupe 15 ml	origan sec
2 c. à soupe 30 ml	poudre de chili

1. Mettre les steaks dans un grand plat en verre. Les mouiller avec la sauce Worcestershire et le jus de lime. Retourner la viande pour bien l'enrober du liquide. Laisser mariner tel quel 1-2 heures. Tourner la viande une fois durant le marinage.
2. Retirer les steaks de la marinade, puis les déposer sur une grande assiette. Dans un petit bol, bien mélanger le reste des ingrédients. Étendre une couche de ce mélange des deux côtés des steaks. Presser les steaks avec la paume des mains pour bien imprégner les aromates dans la chair. Réserver.
3. Préchauffer le barbecue à feu moyen-élevé. Bien nettoyer la grille, puis la huiler généreusement. Déposer les steaks sur la grille, puis les cuire 7-9 minutes de chaque côté (médium-saignant) ou jusqu'au degré de cuisson désiré. Retirer les steaks du gril, puis les servir immédiatement.

BROCHETTES DE BŒUF GOLIATH MARINÉES AUX HERBES FRAÎCHES ET AU RHUM 4-6 PORTIONS

2,2 lb 1 kg	steak de surlonge ou autre pièce tendre désossée d'environ 1-2 po (2,5-5 cm) d'épaisseur
1	poivron vert paré et coupé en cubes
	Petits oignons blancs
12	têtes de champignons
12	tomates cerises

MARINADE AUX HERBES FRAÎCHES ET AU RHUM

2	gousses d'ail écrasées
2 c. à soupe 30 ml	persil plat haché
2 c. à soupe 30 ml	feuilles de basilic frais, hachées
2 c. à soupe 30 ml	feuilles de romarin frais, hachées
¼ tasse 60 ml	rhum brun
¼ tasse 60 ml	jus de citron
⅓ tasse 80 ml	huile d'olive
1 c. à soupe 15 ml	moutarde de Dijon
1 c. à soupe 15 ml	sucre granulé

1. Couper la viande en gros cubes, puis les mettre dans un grand plat en verre. Ajouter les légumes, sauf les tomates cerises, puis mouiller avec la marinade aux herbes fraîches et au rhum. Mélanger délicatement. Ajouter un peu plus d'huile d'olive au besoin. Couvrir, puis laisser mariner 3-6 heures au réfrigérateur. Mélanger une fois durant le marinage.
2. Pour monter les brochettes, enfiler les cubes de viande en alternant avec les légumes et les tomates cerises. Les réserver sur une assiette. Transvider le reste de la marinade dans un petit bol. Réserver.
3. Préchauffer le barbecue à feu moyen-élevé. Bien nettoyer la grille, puis la huiler généreusement. Déposer les brochettes sur la grille, puis les cuire environ 10 minutes au total (idéalement médium-saignant ou jusqu'au degré de cuisson désiré). Badigeonner les brochettes de marinade et les tourner quelques fois durant la cuisson. Servir 1-2 brochettes par personne. Accompagner de pâtes fraîches et d'un légume vert cuit à la vapeur.

MARINADE AUX HERBES FRAÎCHES ET AU RHUM

4. Dans un bol, bien mélanger tous les ingrédients. Réserver.

STEAKS DE BAVETTE AU VIN ROUGE ET À LA CIBOULETTE 4 PORTIONS

4	steaks de bavette d'environ 7 oz (200 g) chacun
½ tasse 125 ml	ciboulette fraîche ciselée
1 c. à soupe 15 ml	persil plat ciselé
1 tasse 250 ml	vin rouge
	Sel et poivre

1. Mettre les steaks dans un plat rectangulaire en verre. Garnir de la ciboulette et du persil, puis mouiller avec le vin rouge. Saler et poivrer au goût, puis laisser reposer 2-3 heures. Retourner la viande une fois durant le marinage.
2. Préchauffer le barbecue à feu élevé. Bien nettoyer la grille, puis la huiler. Égoutter les steaks, puis les déposer sur la grille. Les cuire 3-4 minutes de chaque côté (le steak de bavette se mange idéalement médium-saignant, car la viande durcit en cuisant) ou jusqu'au degré cuisson désiré.
3. Retirer les steaks du gril, puis les envelopper immédiatement dans une feuille de papier d'aluminium. Les laisser reposer 5 minutes.
4. Pendant ce temps, verser le reste de la marinade dans une petite casserole, puis la faire réduire de moitié à feu moyen-élevé. Servir un steak par portion nappé de marinade réduite au goût. Garnir de ciboulette. Accompagner de tomates et d'asperges grillées.

CONSEIL DE CHEF

Pour évaluer le degré de cuisson d'un steak, pressez le dessus de la viande avec votre doigt au lieu d'utiliser un couteau, qui risque de laisser échapper les jus et d'assécher la viande. Si le bifteck est tendre et que le doigt y pénètre légèrement, c'est qu'il est relativement saignant. Si la viande est plus ferme et moins spongieuse au toucher, elle est cuite à point. En général, un steak de 1 po (2,5 cm) d'épaisseur prendra de 5 à 7 minutes de chaque côté pour une cuisson saignante, de 7 à 9 minutes pour une cuisson moyenne, et de 9 à 11 minutes pour une cuisson à point. Cela vaut pour un feu moyen-élevé.

LA MEILLEURE RECETTE D'ÉPICES À STEAK DU MONDE !

Voici une recette d'épices à steak que nous considérons comme la meilleure du monde. Nous l'avons élaborée après avoir analysé plusieurs échantillons d'épices à steak présentement sur le marché. Selon vos goûts, vous pouvez varier légèrement les quantités de chaque ingrédient et ainsi créer votre propre recette.

ÉPICES À STEAK LE GUIDE CUISINE

1 ¼ tasse (310 ml)

4 c. à soupe 60 ml	mélange de quatre poivres en grains
½-1 c. à soupe 7,5-15 ml	piment rouge broyé
1 c. à soupe 15 ml	romarin sec
1 c. à soupe 15 ml	graines de moutarde
1 c. à soupe 15 ml	graines de cumin
2 c. à soupe 30 ml	graines de coriandre
2 c. à soupe 30 ml	flocons d'ail déshydratés
3 c. à soupe 45 ml	flocons d'oignon déshydratés
2 c. à soupe 30 ml	graines d'aneth
1 c. à soupe 15 ml	persil sec
5 c. à soupe 75 ml	sel de mer

1. Broyer les six premiers ingrédients très grossièrement (ne pas moudre finement) à l'aide d'un moulin à café. Procéder en plusieurs opérations si votre moulin est trop petit. Transvider le mélange dans un contenant en verre muni d'un couvercle, puis ajouter le reste des ingrédients. Fermer le couvercle, puis secouer le contenant pour bien mélanger les ingrédients.
2. Saupoudrer ces épices à steak sur vos viandes juste avant de les cuire, car le sel qui y est contenu pourrait les assécher. Appliquer une légère couche de chaque côté, puis griller. Réserver au réfrigérateur pour prolonger la conservation.

FILET DE BŒUF AU CAFÉ 6-8 PORTIONS

1	filet de bœuf d'environ 3 lb (1,3 kg)		Persil plat ciselé
12	grains de café	*2 c. à soupe* 30 ml	café moulu finement
	Feuilles de coriandre fraîche		Grains de café
	Poivre noir du moulin		

CONSEIL DE CHEF

La plupart des viandes gagneront en goût et en tendreté si elles sont saisies en début de cuisson. Que ce soit au four à 450 °F (230 °C), dans une poêle ou au barbecue à feu moyen-élevé (ou même élevé), les fibres extérieures de la viande se contracteront, emprisonnant ainsi le jus dans la viande.

1 Déposer le filet de bœuf sur une grande assiette de service, puis y faire douze incisions étroites. Insérer un grain de café dans chaque incision, puis quelques feuilles de coriandre. Bien pousser les grains de café et les feuilles de coriandre à l'intérieur de chaque incision en vous aidant du manche d'une petite cuillère.

2 Assaisonner généreusement la viande de poivre noir et de persil frais. La saupoudrer entièrement de café moulu, puis la taper de la paume des mains pour bien imprégner les aromates et le café dans la chair. Réserver le filet 2-3 heures à la température de la pièce.

3 Préchauffer le barbecue à feu élevé. Nettoyer la grille, puis la huiler. Déposer le filet sur la grille du barbecue, puis le saisir 3 minutes de chaque côté. Baisser le feu à moyen-élevé, puis cuire 20-30 minutes au total, selon la cuisson désirée. Tourner le filet quelques fois durant la cuisson.

4 Retirer le filet du gril, puis l'envelopper immédiatement dans une feuille de papier d'aluminium. Le laisser reposer 10 minutes avant de le trancher et de le servir. Garnir chaque portion de grains de café. Accompagner de pâtes fraîches à l'ail et aux légumes.

STEAK DE FLANC GRILLÉ AU CITRON ET À L'AIL **4-6 PORTIONS**

1	steak de flanc d'environ 2,2 lb (1 kg)	*6 c. à soupe* 90 ml	huile d'olive
1 c. à soupe 15 ml	poivre noir moulu grossièrement	4	grosses gousses d'ail écrasées
2 c. à soupe 30 ml	gingembre frais, pelé et haché finement	*¼ c. à thé* 1 ml	piment de Cayenne
	Jus de deux gros citrons		Chapelure au choix
	Zeste râpé finement d'un gros citron		Sel
1	petit oignon jaune râpé		

CONSEIL DE CHEF

Avant d'allumer le barbecue, ouvrez le couvercle. Vous éviterez que le gaz s'accumule et provoque une explosion ! Ouvrez ensuite le conduit de gaz, puis le premier brûleur. Une fois que vous avez terminé la cuisson des aliments, fermez tout d'abord le conduit de gaz, puis les brûleurs. Ceci éliminera l'accumulation de gaz dans les conduits.

1 Dégraisser le steak de flanc le plus possible, puis le mettre dans un grand plat en verre. Le poivrer, puis le réserver. Mettre le reste des ingrédients dans un bol, sauf la chapelure, puis bien mélanger. Verser cette marinade sur le steak, puis le retourner pour bien l'enrober. Couvrir et réfrigérer 12-24 heures. Le retourner une fois durant le marinage.

2 Préchauffer le barbecue à feu moyen-élevé. Bien nettoyer la grille, puis la huiler. Déposer le steak de flanc sur la grille, puis le cuire 8-9 minutes en couvrant partiellement. Entre-temps, verser le reste de la marinade dans un bol, puis incorporer juste assez de chapelure pour obtenir une pâte qui se tiendra mais qui sera encore assez humide pour s'étendre. Réserver.

3 Retourner le steak, puis le saler au goût. Étendre la pâte à base de marinade et de chapelure sur le dessus du steak, puis continuer la cuisson un autre 8-9 minutes. Cuire un peu plus selon la cuisson désirée et l'épaisseur du steak (le flanc se mange médium-saignant, car il durcit en cuisant).

4 Retirer le steak du gril, puis le déposer sur une planche à découper. Le couper en tranches minces, en diagonale, puis servir quelques tranches par personne. Récupérer l'excédent de pâte qui serait tombé, puis l'étendre sur chaque portion. Servir immédiatement. Accompagner de patates douces grillées et de riz sauvage.

FILET DE BŒUF GRILLÉ SUR BOIS 4-6 PORTIONS

Quantité	Ingrédient
1	planche de bois dur non traité de 15 po x 10 po (38 cm x 25 cm)
1	morceau de filet de bœuf de 2,2 lb (1 kg)
	Sauce Worcestershire
2 c. à soupe 30 ml	épices à steak, style Montréal
2 c. à thé 10 ml	paprika moulu
1 c. à soupe 15 ml	petits flocons d'ail déshydratés
1 c. à soupe 15 ml	flocons d'oignon déshydratés
1 c. à soupe 15 ml	sel de mer
2 c. à thé 10 ml	origan sec
1 c. à thé 5 ml	poivre noir moulu grossièrement

1 En cuisant votre bœuf de cette façon, vous découvrirez une technique de cuisson surprenante qui transmet un agréable goût de fumée à vos mets sans les longues heures requises par les techniques de fumage traditionnelles. Vous pouvez choisir n'importe quel type de bois dur, à condition qu'il ne soit pas traité. Le cèdre fait très bien l'affaire. Vous devez tremper votre planche de bois 12-24 heures dans l'eau avant la cuisson.

2 Dégraisser le filet de bœuf au besoin, puis le déposer dans un plat rectangulaire juste assez grand pour le contenir. L'asperger généreusement de sauce Worcestershire, puis le réserver. Mélanger le reste des ingrédients dans un petit bol, puis les écraser légèrement avec un pilon. Enrober entièrement le filet de bœuf de ce mélange, puis presser le filet avec vos mains pour bien imprégner les assaisonnements dans la chair. Réserver le filet 2-3 heures à la température de la pièce.

3 Préchauffer le barbecue à feu élevé, puis bien nettoyer la grille. Une fois que le barbecue est bien chaud, y déposer la planche de bois mouillée, puis couvrir. Aussitôt que le bois commence à fumer (2 minutes environ), déposer délicatement le filet de bœuf sur la planche de bois que vous aurez préalablement retournée. Couvrir et baisser légèrement le feu. Cuire le bœuf de cette façon environ 25-30 minutes ou jusqu'à ce que son centre soit encore légèrement rouge. Si la planche de bois brûle trop vite ou prend légèrement en feu, baisser le feu au minimum, puis asperger la planche d'eau avec un vaporisateur.

4 Retirer la planche de bois du barbecue, puis la déposer sur une surface de travail. Recouvrir le filet de bœuf d'une feuille de papier d'aluminium, directement sur la planche, puis le laisser reposer 10 minutes. Retirer la feuille de papier d'aluminium, puis égoutter l'excédent de jus. Apporter la planche directement à table, puis trancher le filet. Servir immédiatement quelques tranches de viande par personne. Accompagner de frites maison et d'une salade César. Selon l'état de la planche, vous pourrez la réutiliser quelques fois.

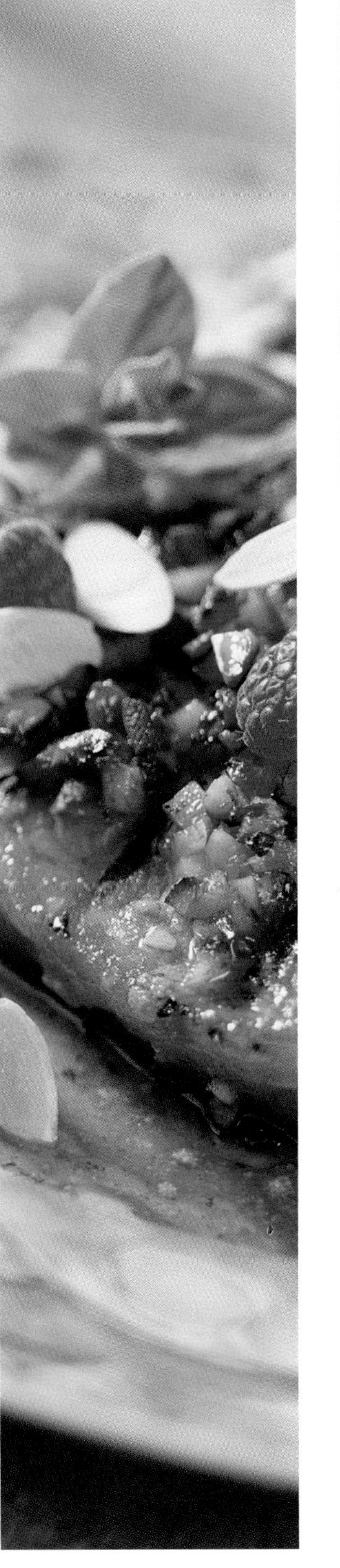

Grillades de veau

FILETS DE VEAU CROUSTILLANTS FARCIS AU CHÈVRE ET AU BASILIC 4-6 PORTIONS

2	morceaux de filet de veau d'environ 1 lb (454 g) chacun
	Moutarde au miel (forte ou ordinaire)
	Feuilles de basilic frais
⅓ lb 150 g	fromage de chèvre frais (crémeux)
	Poivre noir du moulin
8	grandes tranches de prosciutto pas trop minces
	Vinaigre balsamique

1 Mettre les filets sur une surface de travail, puis couper chacun d'eux en deux morceaux égaux. Inciser délicatement chaque morceau dans l'épaisseur afin de former des cavités. Ne pas transpercer les extrémités.

2 Badigeonner l'intérieur des cavités de moutarde au miel, puis y insérer quelques feuilles de basilic. Farcir les cavités d'un peu de fromage de chèvre en le compactant avec une petite cuillère (les cavités doivent être bien remplies mais pas plus). Poivrer généreusement les filets, puis enrouler chacun d'eux le plus serré possible avec deux tranches de prosciutto.

3 Préchauffer le barbecue à feu moyen-élevé. Bien gratter la grille, puis la huiler légèrement. Baisser le feu à moyen, puis déposer les filets de veau sur la grille. Couvrir partiellement, puis cuire 13-15 minutes au total, en les tournant régulièrement. Les filets sont prêts lorsqu'ils sont bien colorés, croustillants et que la chair du veau est encore légèrement rosée.

4 Les retirer du gril, puis les envelopper dans une feuille de papier d'aluminium. Laisser reposer 5-10 minutes. Trancher délicatement les filets de veau en rondelles. Servir quelques rondelles par personne sur un lit de nouilles aux œufs au beurre. Napper chaque portion d'un léger filet de vinaigre balsamique et décorer de quelques feuilles de basilic. Accompagner de courgettes et de poivrons grillés.

BROCHETTES DE VEAU SUCRÉES AU SAMBUCCA 4 PORTIONS

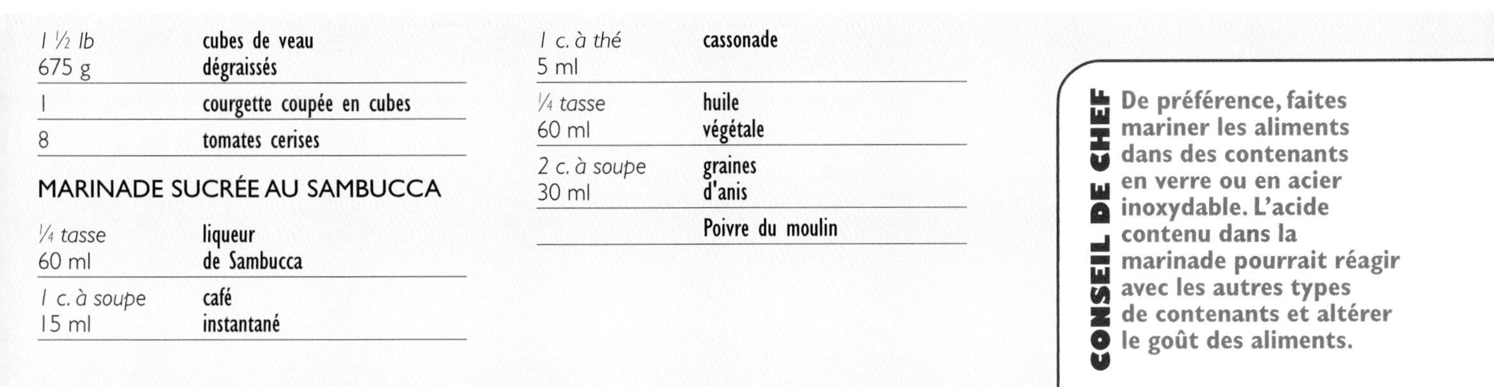

1 ½ lb 675 g	cubes de veau dégraissés
1	courgette coupée en cubes
8	tomates cerises

MARINADE SUCRÉE AU SAMBUCCA

¼ tasse 60 ml	liqueur de Sambucca
1 c. à soupe 15 ml	café instantané
1 c. à thé 5 ml	cassonade
¼ tasse 60 ml	huile végétale
2 c. à soupe 30 ml	graines d'anis
	Poivre du moulin

CONSEIL DE CHEF

De préférence, faites mariner les aliments dans des contenants en verre ou en acier inoxydable. L'acide contenu dans la marinade pourrait réagir avec les autres types de contenants et altérer le goût des aliments.

1. Mettre les cubes de veau dans un bol creux en verre. Mouiller avec la marinade sucrée au Sambucca. Couvrir et mariner au réfrigérateur 3-12 heures.
2. Enfiler les cubes de viande sur des brochettes en alternant avec des morceaux de courgette et des tomates cerises.
3. Griller les brochettes au barbecue sur une grille huilée, à feu moyen-élevé, 7-8 minutes de chaque côté. Badigeonner de la marinade sucrée au Sambucca durant la cuisson. Retirer les brochettes du gril et servir immédiatement. Accompagner de quartiers de pommes de terre grillées et d'une salade de tomates.

MARINADE SUCRÉE AU SAMBUCCA

4. Verser la liqueur de Sambucca dans un bol. Ajouter le café instantané et mélanger jusqu'à ce qu'il soit dissous. Ajouter le reste des ingrédients et assalsonner selon les goûts de poivre. Réserver.

BROCHETTES DE VEAU AUX ABRICOTS **4-6 PORTIONS**

1 ⅔ lb 750 g	**épaule de veau désossée**
8-12	**petits abricots secs**
2	**oignons moyens coupés en quartiers**

MARINADE AUX ABRICOTS

4 c. à soupe 60 ml	**confiture d'abricots**
2 c. à soupe 30 ml	**sauce soya**
	Jus et zeste d'une lime
2	**gousses d'ail écrasées**
2	**échalotes vertes hachées finement**
1 c. à thé 5 ml	**moutarde sèche**
3 c. à soupe 45 ml	**huile d'olive**

1 Déposer le morceau de veau sur une planche de travail. À l'aide d'un couteau, enlever l'excédent de gras, puis couper la viande en gros cubes. Les mettre dans un bol en verre, puis y ajouter la marinade aux abricots. Mélanger et couvrir. Réfrigérer 4-12 heures selon les goûts et le temps disponible.

2 Retirer les morceaux de veau du réfrigérateur 1 heure avant de les griller. Préchauffer le barbecue à feu élevé. Bien nettoyer la grille, puis la huiler. Enfiler les morceaux de veau sur des brochettes en les alternant avec des abricots secs et des quartiers d'oignons. Vous pouvez aussi insérer un morceau de veau à l'intérieur d'une couche de quartiers d'oignons et sceller le tout avec une brochette.

3 Griller les brochettes sur le gril environ 15-20 minutes au total, en les tournant et en les badigeonnant du reste de la marinade à quelques reprises. Les retirer du gril et en servir 1-2 par personne. Accompagner d'une salade de pâtes crémeuses à l'ail et d'artichauts grillés.

MARINADE AUX ABRICOTS

4 Mettre tous les ingrédients dans un bol, puis bien mélanger jusqu'à ce que tout soit bien intégré. Réserver au frais.

RIS DE VEAU GRILLÉS AUX CHAMPIGNONS SAUVAGES 4 PORTIONS

4	noix de ris de veau de ⅓ lb (150 g) chacune
	Beurre fondu
	Poivre moulu
	Thym moulu

SAUCE AUX CHAMPIGNONS

2 c. à soupe 30 ml	beurre
2	échalotes vertes tranchées
1 tasse 250 ml	champignons sauvages ou exotiques, au choix, tranchés
½ tasse 125 ml	vin blanc sec
1 tasse 250 ml	crème 35 %
	Sel et poivre

1 Faire tremper les noix de ris de veau 1-2 heures à l'eau froide afin de les dégorger. Retirer la membrane gélatineuse et tout excédent des ris de veau. Les blanchir 4 minutes, puis les égoutter et les assécher avec des essuie-tout. Les badigeonner de beurre et les assaisonner généreusement de poivre et de thym.

2 Préchauffer le barbecue à feu moyen, puis bien gratter la grille une fois qu'elle fume abondamment. Déposer les noix de ris de veau sur la grille du barbecue et les cuire15-20 minutes au total, en les tournant et en les badigeonnant régulièrement de beurre durant la cuisson.

3 Les retirer du gril et les trancher. Disposer les tranches de ris de veau dans quatre assiettes et napper de sauce aux champignons. Accompagner de pommes de terre grillées et de brocoli étuvé.

SAUCE AUX CHAMPIGNONS

4 Dans une poêle, faire revenir les échalotes dans le beurre 2 minutes, en brassant. Ajouter les champignons et poursuivre la cuisson 4 minutes, en brassant. Déglacer avec le vin blanc et porter à ébullition.

5 Baisser le feu et laisser mijoter jusqu'à ce que le liquide soit presque évaporé. Éteindre le feu et incorporer la crème. Saler et poivrer au goût. Bien mélanger avec une spatule de bois en grattant le fond de la poêle, puis couvrir. Réserver au chaud.

PAUPIETTES DE VEAU ET PROSCIUTTO À LA MENTHE 6 PORTIONS

12	tranches de prosciutto
6	escalopes de veau de 5 oz (140 g) chacune
6	tranches de fromage emmental
12	grosses feuilles de menthe fraîche
	Moutarde de Dijon
	Sel et poivre

CONSEIL DE CHEF

Lorsque vous faites cuire des escalopes sur le gril, faites des incisions sur le pourtour pour qu'elles ne gondolent pas.

1. Étendre deux tranches de prosciutto sur une planche de bois. Déposer une escalope par-dessus le prosciutto. Étendre une tranche de fromage sur l'escalope, puis ajouter deux feuilles de menthe fraîche. Badigeonner avec une petite quantité de moutarde de Dijon. Assaisonner au goût de sel et de poivre.
2. Rouler délicatement le tout et sceller la paupiette de quelques cure-dents. La réserver sur une assiette. Créer les cinq autres paupiettes de la même manière.
3. Préchauffer le barbecue à feu moyen-élevé. Cuire les paupiettes sur le gril 8-9 minutes au total, en les tournant à quelques reprises. Servir immédiatement une paupiette par portion. Accompagner de haricots au beurre et de ratatouille.

ACCOMPAGNEMENTS ET CONDIMENTS

Pourquoi ne pas accompagner vos grillades de veau de divers accompagnements tels que des moutardes fines, des ketchups maison, des chutneys, etc. ? Cependant, pour ceux qui préfèrent créer leurs propres recettes d'accompagnements, en voici quelques-unes qui compléteront à merveille toutes les grillades de veau.

CHUTNEY AUX FRUITS

3-4 tasses (0,75-1 L)

¾ tasse 180 ml	chair de poires, tranchée en dés
½ tasse 125 ml	oignon blanc haché
½ tasse 125 ml	ananas broyé en conserve, égoutté
¾ tasse 180 ml	chair de pêches, tranchée en dés
½ tasse 125 ml	chair de tomates italiennes, tranchée en dés
½ tasse 125 ml	figues séchées tranchées en petits dés
½ tasse 125 ml	sucre granulé
½ tasse 125 ml	vinaigre de cidre
½ c. à thé 2,5 ml	piment de la Jamaïque
½ c. à thé 2,5 ml	gingembre moulu
2 c. à thé 10 ml	graines de coriandre
½ c. à thé 2,5 ml	sel de mer
	Pincée de poivre de Cayenne

1. Mettre tous les ingrédients dans une casserole. Porter à ébullition, puis baisser le feu à moyen. Cuire 1 heure, en brassant quelques fois, ou jusqu'à ce que le mélange soit épais et ait la texture d'une confiture. Transvider le chutney dans des pots en verre et conserver au réfrigérateur.

CONFITURE D'OIGNONS

1 ½ tasse (375 ml)

1 tasse 250 ml	sucre granulé
⅓ tasse 80 ml	eau
2	clous de girofle
	Zeste râpé d'une demi-orange
2	gros oignons rouges émincés
¼ tasse 60 ml	gelée de gadelle (groseille rouge)
¼ tasse 60 ml	eau

1. Dans une casserole, porter à ébullition le sucre et l'eau à feu moyen-élevé. Baisser le feu à moyen, puis ajouter les clous de girofle et le zeste d'orange. Cuire 3 minutes ou juste avant que le sucre change de couleur. Retirer les clous de girofle, puis ajouter les oignons. Laisser mijoter 1 heure en remuant quelques fois.
2. Dans un bol, fouetter vigoureusement la gelée de gadelle et l'eau. Verser le mélange sur les oignons, puis continuer de cuire 10 minutes. Transvider la confiture d'oignons dans des pots. Conserver au réfrigérateur.

GELÉE AU PORTO

2 tasses (500 ml)

1	sachet de gélatine sans saveur
⅘ tasse 200 ml	eau
1 ¼ tasse 310 ml	porto au choix
¾ tasse 180 ml	sucre granulé

1. Dans un petit bol, faire gonfler la gélatine avec un peu d'eau prélevée sur la quantité mentionnée dans les ingrédients. Mettre le reste des ingrédients dans une casserole, puis porter à ébullition à feu moyen-élevé, en mélangeant. Baisser le feu à moyen, puis laisser mijoter 5 minutes.
2. Retirer la casserole du feu, puis ajouter la gélatine gonflée. Mélanger jusqu'à ce que la gélatine soit dissoute. Verser le mélange dans des pots en verre à fermeture hermétique. Réfrigérer au moins 4 heures ou jusqu'à ce que la gelée soit prise avant d'utiliser.

FILETS DE VEAU GRILLÉS, BEURRE AU RHUM ET AUX QUATRE POIVRES 4 PORTIONS

1 ⅓ - 1 ½ lb 600-675 g	**filet de veau**
	Poivre noir du moulin
	Curcuma moulu

BEURRE AU RHUM ET AUX QUATRE POIVRES

⅔ tasse 160 ml	**beurre ramolli**
1 c. à soupe 15 ml	**mélange de quatre poivres moulus grossièrement**
2 c. à soupe 30 ml	**rhum brun**
½ c. à thé 2,5 ml	**thym moulu**
	Sel

1. Poivrer le filet de veau, puis les saupoudrer de curcuma. Les réserver. Préchauffer le barbecue à feu moyen-élevé. Bien nettoyer la grille, puis la huiler.
2. Déposer le filet de veau sur la grille, puis le cuire une dizaine de minutes au total ou plus selon les goûts, sans couvrir. Le retourner à quelques reprises durant la cuisson.
3. Le retirer du gril, puis le trancher. Disposer les tranches dans quatre grandes assiettes. Déposer deux rondelles de beurre au rhum et aux quatre poivres sur chaque portion de veau. Accompagner de haricots verts et jaunes ainsi que d'une salade de tomates. Servir immédiatement.

BEURRE AU RHUM ET AUX QUATRE POIVRES

4. Mettre tous les ingrédients dans un petit bol, puis assaisonner au goût de sel. Bien intégrer le tout avec le dos d'une fourchette. Quand le beurre est bien lié, le déposer sur une feuille de papier ciré, puis le façonner en long tronçon.
5. Le rouler dans le papier sulfurisé, puis le réfrigérer quelques heures avant de le servir en tranches. Servir en accompagnement de viandes grillées.

BROCHETTES DE RIS DE VEAU À LA HOLLANDAISE 4 PORTIONS

1 ¼ lb 570 g	ris de veau frais
2	poires parées et coupées en quartiers
	Sel et poivre
	Huile d'olive

SAUCE HOLLANDAISE

3	jaunes d'œufs
1 c. à soupe 15 ml	eau froide
⅔ tasse 160 ml	beurre fondu
1 c. à soupe 15 ml	jus de citron
	Poivre

CONSEIL DE CHEF

Pour assurer une cuisson uniforme des aliments, laissez-les d'abord revenir à la température de la pièce avant de les griller. Vous n'avez qu'à les retirer du réfrigérateur de 30 à 40 minutes avant le grillage. Soyez tout de même vigilant à ne pas laisser surchauffer les aliments afin d'éviter les intoxications alimentaires.

1 Dans une casserole remplie d'eau chaude, blanchir les ris de veau 2 minutes. Les égoutter et les assécher avec des essuie-tout ou un linge. Enlever la peau, les veines et le gras excédentaire des ris de veau, puis les découper en 24 morceaux.

2 Enfiler les morceaux de ris de veau sur huit brochettes en alternant avec les quartiers de poires. Les saler et les poivrer au goût, puis les badigeonner d'huile. Les réserver sur une assiette de service.

3 Préchauffer le barbecue à feu moyen-élevé. Déposer les brochettes sur le gril, puis les cuire 4-5 minutes de chaque côté. Les retirer du gril, puis en servir deux par personne déposées sur un fond de sauce hollandaise. Servir immédiatement et accompagner de pâtes fraîches au pesto.

SAUCE HOLLANDAISE

4 Dans un bain-marie, déposer les jaunes d'œufs et l'eau froide. Bien mélanger et réchauffer à feu doux. S'assurer que les jaunes d'œufs ne cuisent pas. Incorporer lentement le beurre fondu.

5 Continuer à fouetter et à cuire jusqu'à ce que la sauce épaississe légèrement. Ajouter le jus de citron et poivrer au goût. Bien mélanger et retirer du feu. Transférer dans une saucière et servir avec vos mets préférés.

CÔTELETTES DE VEAU EN PAPILLOTES AUX POMMES ET AUX PACANES 4 PORTIONS

2,5 lb 1,14 kg	côtelettes de veau assez épaisses
⅓ tasse 80 ml	vinaigre de cidre
2	gousses d'ail écrasées
1 c. à thé 5 ml	sarriette moulue
1 c. à thé 5 ml	thym moulu
⅓ tasse 80 ml	huile de canola
⅓ tasse 80 ml	oignon jaune râpé
2	pommes parées et tranchées minces
⅔ tasse 160 ml	pacanes écrasées grossièrement
8	pacanes entières
	Sel et poivre

1. Dégraisser légèrement les côtelettes, puis les déposer dans un grand plat en vitre. Réserver. Dans un bol, bien fouetter le vinaigre, l'ail, la sarriette, le thym, l'huile et l'oignon râpé. Verser cette marinade sur les côtelettes et bien les imbiber. Couvrir et réfrigérer 4-12 heures ou plus selon les goûts et le temps disponible.
2. Préchauffer le barbecue à feu moyen-élevé. Retirer les côtelettes du réfrigérateur. Couvrir le fond d'une grande feuille de papier d'aluminium doublée de la moitié des tranches de pommes. Y déposer les côtelettes, puis couvrir du reste des tranches de pommes, puis des pacanes écrasées. Mouiller avec un peu du reste de la marinade, puis saler et poivrer au goût. Refermer la papillote, puis la déposer sur le gril. Fermer le couvercle et cuire 20-25 minutes ou plus selon la cuisson désirée.
3. Après les huit premières minutes de cuisson, baisser le feu à moyen et laisser le couvercle du barbecue partiellement ouvert.
4. Une fois la cuisson terminée, retirer la papillote du feu et laisser reposer 10 minutes avant de servir. Accompagner les côtelettes des jus de cuisson, des tranches de pommes et des pacanes écrasées.Servir avec des pâtes fraîches à l'huile et à l'ail. Décorer chaque portion de deux pacanes entières.

CÔTELETTES DE VEAU AU PAMPLEMOUSSE ET AU PIMENT DE LA JAMAÏQUE 4 PORTIONS

2 lb 900 g	côtelettes de veau épaisses, dégraissées
3 c. à thé 15 ml	piment de la Jamaïque moulu
2 c. à thé 10 ml	poivre noir moulu finement
	Suprêmes de pamplemousse

MARINADE AU PAMPLEMOUSSE ET À LA BIÈRE

1	pamplemousse rose
1 tasse 250 ml	bière blonde
2 c. à soupe 30 ml	sirop d'érable
¼ c. à thé 1 ml	sauce forte
	Pincée de noix de muscade râpée
	Sel

1. Déposer les côtelettes sur une surface de travail et les réserver. Mélanger le piment de la Jamaïque dans un petit bol avec le poivre. Assaisonner les deux côtés de chaque côtelette du mélange de poivre et de piment, puis bien taper la viande pour imprégner les épices dans la chair.
2. Mettre les côtelettes dans un grand plat en verre et mouiller avec la marinade au pamplemousse et à la bière. Retourner les côtelettes pour bien les imbiber de la marinade, puis couvrir. Réfrigérer 4-12 heures selon les goûts et le temps disponible.
3. Retirer les côtelettes du réfrigérateur 1 heure avant de les cuire. Préchauffer le barbecue à feu élevé. Déposer les côtelettes sur la grille du barbecue, puis baisser le feu à moyen-élevé. Griller les côtelettes 5-7 minutes de chaque côté ou plus selon les goûts et leur épaisseur. Badigeonner les côtelettes du reste de la marinade durant la cuisson.
4. Retirer les côtelettes du gril et en servir 1-2 par personne. Décorer chaque portion de quelques suprêmes de pamplemousse. Accompagner d'une ratatouille et de vermicelles de riz à l'huile de sésame.

MARINADE AU PAMPLEMOUSSE ET À LA BIÈRE

5. Râper le zeste du pamplemousse, puis le mettre dans un bol. Couper le fruit en deux, puis enlever les noyaux. Extraire le jus du pamplemousse, puis le verser dans le bol avec le zeste. Ajouter le reste des ingrédients, puis saler au goût. Couvrir et réserver au frais jusqu'au moment d'utiliser.

1998
MONTAGNY
Premier Cru
LOUIS ROCHE

CÔTELETTES DE VEAU AUX FRAMBOISES ET AUX AMANDES 4-6 PORTIONS

2,5 lb 1,14 kg	côtelettes de veau de grain avec le filet de 1 po (2,5 cm) d'épaisseur
1 tasse 250 ml	amandes hachées grossièrement
	Tranches d'amandes grillées (décoration)
	Framboises fraîches (décoration)

MARINADE-VINAIGRETTE AUX FRAMBOISES ET AUX AMANDES

1 c. à thé 5 ml	moutarde forte
1	grosse gousse d'ail écrasée
4 c. à soupe 60 ml	vinaigre de framboise
1 c. à thé 5 ml	extrait d'amandes
3 c. à soupe 45 ml	confiture (ou tartinade) de framboises
	Sel et poivre
½ tasse 125 ml	huile d'olive

1. Les côtelettes de veau avec le filet sont l'équivalent du steak d'aloyau pour le bœuf (aussi appelé « t-bone »). D'autres types de côtelettes de veau épaisses peuvent aussi faire l'affaire.
2. Déposer les côtelettes de veau dans un grand plat en verre, sans les superposer. Les recouvrir de la moitié des amandes hachées, puis presser légèrement le dessus des côtelettes avec les mains pour bien imprégner les amandes dans la chair. Les retourner, puis répéter l'opération pour garnir l'autre côté des côtelettes. Mouiller la viande avec la marinade-vinaigrette aux framboises et aux amandes. Retourner les côtelettes pour bien les imbiber de la marinade. Réfrigérer 4-8 heures selon les goûts et le temps disponible.
3. Retirer le plat du réfrigérateur 1 heure avant de griller les côtelettes. Préchauffer le barbecue à feu moyen-élevé. Bien gratter la grille, puis la huiler légèrement. Y déposer les côtelettes, puis les griller 4-5 minutes de chaque côté ou jusqu'à ce que la chair au centre des côtelettes ne soit plus que légèrement rosée. Les arroser fréquemment du reste de la marinade durant la cuisson.
4. Les retirer du gril, puis en servir immédiatement 1-2 par personne. Accompagner de riz sauvage et de haricots verts au miel. Décorer chaque portion de tranches d'amandes grillées et de quelques framboises fraîches.

MARINADE-VINAIGRETTE AUX FRAMBOISES ET AUX AMANDES

5. Mettre tous les ingrédients, sauf l'huile, dans un bol, puis saler et poivrer au goût. Bien fouetter.
6. Incorporer graduellement l'huile d'olive en fouettant. Réserver au frais. Si vous utilisez cette marinade-vinaigrette comme vinaigrette, diminuer légèrement la quantité de vinaigre de framboise.

CONSEIL DE CHEF

Voici quelques règles de base pour réussir la cuisson du veau au barbecue. Retirez la viande du réfrigérateur 30 minutes avant de la faire griller, à l'exception des galettes de veau haché qui doivent rester au réfrigérateur jusqu'au dernier moment. Saisissez la pièce de viande de chaque côté à feu élevé, puis poursuivez la cuisson à feu doux jusqu'au degré de cuisson désiré (le veau se mange de préférence rosé). Retirez la pièce de viande du feu, puis emballez-la dans une grande feuille de papier d'aluminium. Laissez-la reposer de 5 à 10 minutes avant de la trancher et de la servir immédiatement. Pour conserver la saveur et l'humidité de la viande, badigeonnez-la fréquemment de marinade non salée durant la cuisson. De plus, évitez de déposer la viande cuite dans une assiette ayant servi à transporter la viande crue pour éliminer les risques de contamination croisée.

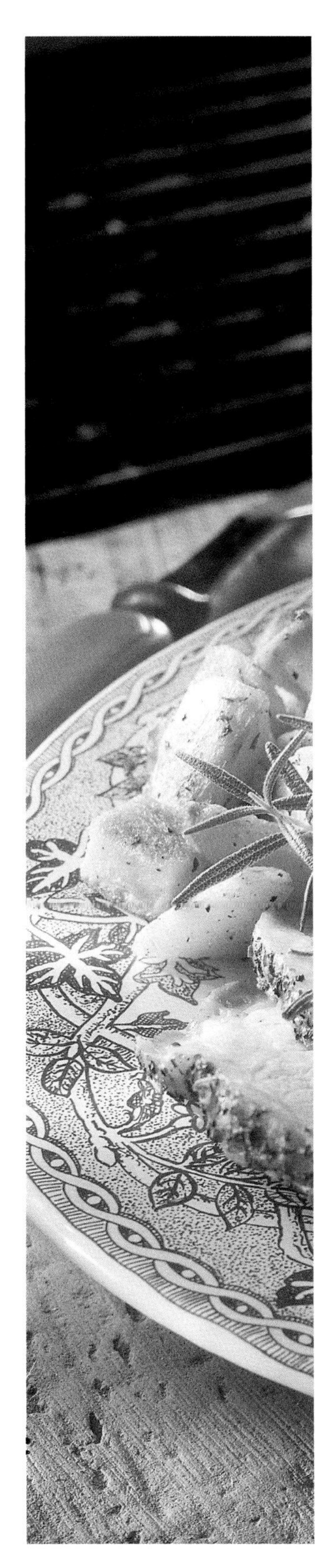

Grillades de porc

CÔTES LEVÉES, SAUCE PIQUANTE AU MIEL ET À L'AIL 4 PORTIONS

3,5-4 lb 1,6-1,8 kg	côtes de porc
½ tasse 125 ml	sauce soya
½ tasse 125 ml	consommé de bœuf
4	grosses gousses d'ail écrasées
4 c. à soupe 60 ml	sauce Worcestershire
4 c. à soupe 60 ml	cassonade foncée
1 c. à soupe 15 ml	flocons d'oignon déshydratés
6	échalotes vertes tranchées finement
2 c. à soupe 30 ml	épices à steak
	Quelques gouttes de sauce forte

SAUCE BARBECUE PIQUANTE AU MIEL ET À L'AIL

1 ½ tasse 375 ml	sauce barbecue ordinaire, du commerce
1 tasse 250 ml	sauce chili (style ketchup)
1 c. à soupe 15 ml	ail émincé, déshydraté
½ tasse 125 ml	consommé de bœuf
2	grosses gousses d'ail écrasées
4 c. à soupe 60 ml	miel liquide
1-2 c. à thé 5-10 ml	sauce forte au choix

1. Découper les côtes en groupes de 4-6 pour qu'elles puissent entrer dans deux grands sacs hermétiques pour congélateur. Les réserver.

2. Mettre le reste des ingrédients dans un bol, puis ajouter quelques gouttes de sauce forte. Bien fouetter, puis verser également la marinade dans les deux sacs contenant les côtes de porc. Sceller les sacs en retirant le plus d'air possible, puis les secouer pour bien répartir la marinade autour des morceaux de porc. Réfrigérer 36-72 heures selon le temps disponible et les goûts. Retourner les sacs quelques fois durant le marinage.

3. Transvider les côtes et la marinade dans une grande casserole. Ajouter de l'eau pour couvrir la viande presque entièrement, puis porter à ébullition à feu moyen. Baisser le feu à doux. Couvrir, puis laisser mijoter à petits bouillons 50 minutes. Retirer les côtes de la casserole, puis les déposer sur deux grandes assiettes de service. Les badigeonner entièrement de sauce barbecue piquante au miel et à l'ail, puis les réserver.

4. Préchauffer le barbecue à feu moyen. Lorsqu'il commence à fumer, bien gratter la grille pour la nettoyer. Baisser le feu au minimum, puis déposer les côtes sur la grille. Couvrir presque entièrement, puis cuire environ 35-45 minutes ou jusqu'à ce qu'elles soient bien tendres. Vérifier et tourner fréquemment les côtes pour éviter qu'elles brûlent.

5. Retirer les côtes grillées du barbecue, puis les déposer sur deux grandes assiettes de service. Les badigeonner généreusement de sauce barbecue piquante au miel et à l'ail. Servir immédiatement. Accompagner de riz et d'une salade de chou.

SAUCE BARBECUE PIQUANTE AU MIEL ET À L'AIL

6. Mettre tous les ingrédients dans une casserole moyenne, puis porter à ébullition à feu moyen. Baisser un peu le feu, puis laisser mijoter 10 minutes, en brassant à l'occasion, pour laisser le temps aux saveurs de se développer et pour obtenir une sauce onctueuse et riche.

7. Retirer immédiatement la casserole du feu, puis couvrir et réserver quelques minutes avant de servir. Excellent comme sauce d'accompagnement avec la volaille et le porc.

CÔTELETTES DE PORC GRILLÉES SUR PLANCHE DE BOIS, GARNITURE SUCRÉE AUX PACANES ET AU BLEU 4-6 PORTIONS

1	planche de bois dur non traité de 15 po x 10 po (38 cm x 25 cm)
8	côtelettes de porc de 1 po (2,5 cm) d'épaisseur
¼ tasse 60 ml	huile d'olive
4	grosses gousses d'ail écrasées
½ tasse 125 ml	bière
3 c. à soupe 45 ml	cassonade foncée
2 c. à thé 10 ml	moutarde sèche
	Poivre noir du moulin

GARNITURE SUCRÉE AUX PACANES ET AU BLEU

½ lb 227 g	fromage bleu émietté
4 c. à soupe 60 ml	sirop d'érable
3 c. à soupe 45 ml	chapelure
⅔ tasse 160 ml	pacanes grillées, hachées très grossièrement
3 c. à soupe 45 ml	huile d'olive
	Sel et poivre

1 En cuisant vos côtelettes de cette façon, vous découvrirez une technique de cuisson surprenante qui transmet un agréable goût de fumée à vos mets sans les longues heures requises par les techniques de fumage traditionnelles. Vous pouvez choisir n'importe quel type de bois dur, à condition qu'il ne soit pas traité. Le cèdre fait très bien l'affaire. Vous devez tremper votre planche de bois 12-24 heures dans l'eau avant la cuisson.

2 Dégraisser un peu les côtelettes au besoin, puis les déposer dans un plat rectangulaire juste assez grand pour les contenir. Réserver. Mélanger le reste des ingrédients dans un bol, puis verser cette marinade sur les côtelettes. Retourner les côtelettes pour bien les enrober de la marinade. Les réfrigérer, puis les laisser mariner 12-24 heures selon les goûts et le temps disponible.

3 Préchauffer le barbecue à feu élevé, puis bien nettoyer la grille. Une fois que le barbecue est bien chaud, y déposer la planche de bois mouillée, puis couvrir. Aussitôt que le bois commence à fumer (5-10 minutes environ), retourner la planche de bois et y déposer délicatement la moitié des côtelettes. Couvrir et baisser légèrement le feu. Cuire les côtelettes 10 minutes, puis les retourner ainsi que la planche de bois. Continuer la cuisson un autre 10 minutes. Si la planche de bois brûle trop vite ou prend légèrement en feu, baisser le feu au minimum, puis l'asperger d'eau avec un vaporisateur.

4 Cinq minutes avant la fin de la cuisson, recouvrir le dessus des côtelettes de garniture sucrée aux pacanes et au bleu. Couvrir et continuer la cuisson. Retirer les côtelettes et les réserver au chaud. Procéder de la même façon avec le reste des côtelettes.

5 Retirer la planche de bois du barbecue, puis la déposer sur une surface de travail. Déposer les côtelettes cuites sur la planche de bois en les tassant au besoin. Apporter la planche directement à table, puis la déposer sur une surface protectrice. Laisser les convives se servir eux-mêmes 1-2 côtelettes garnies. Accompagner de tranches de patates douces grillées et de riz brun.

GARNITURE SUCRÉE AUX PACANES ET AU BLEU

6 Mettre tous les ingrédients dans un bol, puis saler et poivrer au goût. Bien intégrer le mélange en vous aidant du dos d'une fourchette. Réserver au réfrigérateur jusqu'au moment d'utiliser. Excellent pour garnir les viandes et du pain grillés.

BROCHETTES DE FILET DE PORC AU CITRON ET AU GINGEMBRE, SAUCE À LA MANGUE 4 PORTIONS

2 lb 907 g	filets de porc coupés en gros cubes
1	poivron vert paré et coupé en carrés
1	oignon rouge moyen coupé en quartiers
	Tranches minces de gingembre frais

MARINADE AU CITRON ET AU GINGEMBRE

¼ tasse 60 ml	marmelade au citron
2 c. à soupe 30 ml	xérès (facultatif)
2 c. à soupe 30 ml	gingembre frais haché finement
1	gousse d'ail hachée finement
1 c. à soupe 15 ml	moutarde de Dijon
2 c. à thé 10 ml	sauce soya
1 c. à soupe 15 ml	huile de sésame ou d'olive
1 c. à thé 5 ml	zeste de citron

SAUCE À LA MANGUE

1	mangue pelée, parée et hachée
½ tasse 125 ml	oignon rouge haché finement
½ tasse 125 ml	concombre pelé, épépiné et haché
2 c. à thé 10 ml	zeste de citron râpé finement
½ c. à thé 2,5 ml	cumin moulu

CONSEIL DE CHEF

La cuisson du porc doit se faire adéquatement pour que vous puissiez profiter pleinement de sa saveur et de sa tendreté et pour qu'il soit le plus juteux possible. Pour la cuisson à la poêle, sur le gril ou au barbecue, faites cuire vos découpes de porc à feu moyen jusqu'à ce que le jus de cuisson soit clair. Pour la cuisson conventionnelle au four, cuisez-le jusqu'à l'obtention d'une température interne de 160 °F (70 °C) ; utilisez un thermomètre au besoin. Il n'est plus nécessaire de trop cuire le porc, puisque la cuisson rosée est maintenant parfaitement sûre. Exception à la règle, qui s'applique à toutes les viandes hachées, le porc haché doit toujours être servi bien cuit.

1. Dans un grand bol, mettre les morceaux de filet de porc, puis les mouiller avec la marinade au citron et au gingembre. Bien mélanger, puis réfrigérer 4-12 heures selon le temps disponible et les goûts.
2. Retirer le bol du réfrigérateur, puis monter les brochettes en alternant les morceaux de filet de porc avec les carrés de poivron, les quartiers d'oignon et les tranches de gingembre (ces dernières doivent être en contact avec les morceaux de viande).
3. Préchauffer le barbecue à feu moyen. Lorsqu'il commence à fumer, bien gratter la grille pour la nettoyer. Déposer les brochettes sur le gril, puis les cuire 7-10 minutes de chaque côté ou jusqu'au degré de cuisson désiré. Servir 1-2 brochettes par personne. Accompagner de sauce à la mangue, de riz et de carottes.

MARINADE AU CITRON ET AU GINGEMBRE

4. Mettre tous les ingrédients dans un bol, puis bien fouetter. Réserver au réfrigérateur dans un contenant hermétique.

SAUCE À LA MANGUE

5. Mettre tous les ingrédients dans un robot culinaire, puis réduire jusqu'à l'obtention d'une sauce lisse.
6. Transvider la sauce dans un contenant hermétique, puis la réfrigérer au moins 1 heure avant de la servir. Cette sauce est très polyvalente et peut accompagner la plupart des mets cuits sur le gril.

CÔTELETTES DE PORC À LA BIÈRE FARCIES AUX PACANES ET AU BLEU 6 PORTIONS

8	côtelettes de porc de 1-1½ po (2,5-3,8 cm) d'épaisseur
12 oz 340 ml	bière au choix
2 c. à soupe 30 ml	moutarde de Dijon
4 c. à soupe 60 ml	feuilles de fenouil hachées
2 c. à thé 10 ml	sarriette moulue
3	gousses d'ail hachées finement
2 c. à thé 10 ml	flocons d'oignon déshydratés
	Poivre du moulin

FARCE AUX PACANES ET AU BLEU

1 tasse 250 ml	champignons blancs nettoyés et tranchés
1	oignon moyen haché
2 c. à soupe 30 ml	feuilles de basilic frais, hachées
1 c. à soupe 15 ml	huile
½ tasse 125 ml	pacanes hachées grossièrement
½ tasse 125 ml	farine de maïs dorée
¼ lb 115 g	fromage bleu émietté
½ tasse 125 ml	lait
¼ tasse 60 ml	bacon cuit et haché grossièrement
8	olives noires dénoyautées et hachées finement

1 Déposer les côtelettes dans un grand plat rectangulaire. Les réserver. Dans un bol, bien fouetter le reste des ingrédients. Poivrer généreusement, puis verser cette marinade sur les côtelettes. Les tourner pour bien les enrober de marinade. Couvrir, puis réfrigérer 4-8 heures selon les goûts et le temps disponible.

2 Préchauffer le barbecue à feu moyen-élevé. Lorsqu'il commence à fumer, bien gratter la grille pour la nettoyer.

3 Retirer les côtelettes du plat, puis les déposer sur une surface de travail. Transvider la marinade dans un petit bol. Réserver. À l'aide d'un petit couteau, faire une incision d'environ 2 po (5 cm) de long dans l'épaisseur des côtelettes. Faire l'incision assez creuse tout en s'assurant de ne pas percer les extrémités. À l'aide d'une petite cuillère, remplir les cavités de farce aux pacanes et au bleu. Bien compacter le mélange.

4 Déposer les côtelettes sur le gril, puis les cuire 6-8 minutes de chaque côté ou jusqu'à ce que la chair ne soit plus rosée. Si désiré, badigeonner la viande de marinade réservée durant le grillage. Retirer les côtelettes du gril, puis en servir 1-2 par personne. Accompagner de riz aux raisins et de brocoli au beurre.

FARCE AUX PACANES ET AU BLEU

5 Dans une poêle, faire revenir les champignons, l'oignon et le basilic dans l'huile, à feu moyen-élevé, 2-3 minutes. Brasser durant l'opération.

6 Retirer la poêle du feu, puis ajouter le reste des ingrédients. Bien mélanger à l'aide d'une cuillère de bois. Transvider la farce dans un bol, puis couvrir. Réserver au réfrigérateur.

CÔTES LEVÉES CAJUNS AU CIDRE 6 PORTIONS

½ tasse 125 ml	cassonade
3 tasses 750 ml	cidre
3 c. à thé 15 ml	moutarde sèche
4 lb 1,8 kg	côtes de porc (dos de préférence) légèrement dégraissées

SAUCE BARBECUE CAJUN

¼ tasse 60 ml	cassonade
1 c. à soupe 15 ml	flocons d'oignon déshydratés
½ tasse 125 ml	sauce tomate
½ tasse 125 ml	sauce chili (style ketchup)
4 c. à soupe 60 ml	sauce Worcestershire
4 c. à soupe 60 ml	vinaigre blanc
1-2 c. à soupe 15-30 ml	épices cajuns
	Sel et poivre

1. Mettre tous les ingrédients, sauf les côtes de porc, dans une casserole la plus large possible, puis bien mélanger. Ajouter les côtes de porc, préalablement coupées en deux si elles sont trop longues. Porter le liquide à ébullition à feu moyen-élevé. Baisser le feu à moyen-doux, puis laisser mijoter environ 1 heure. Ajouter un peu d'eau ou de bière au besoin. Mélanger délicatement quelques fois durant la cuisson.
2. Préchauffer le barbecue à feu moyen. Lorsqu'il commence à fumer, bien gratter la grille pour la nettoyer, puis la huiler.
3. Retirer les côtes de la casserole, puis les déposer sur la grille du barbecue. Les badigeonner généreusement de sauce barbecue cajun. Couvrir, puis cuire environ 17-20 minutes. Tourner la viande trois fois durant la cuisson. La badigeonner de sauce chaque fois. Retirer les côtes du gril, puis les servir immédiatement. Accompagner d'une salade de chou, de frites maison et de sauce barbecue cajun.

SAUCE BARBECUE CAJUN

4. Mettre tous les ingrédients dans une casserole moyenne. Porter à ébullition. Baisser le feu, puis laisser mijoter 8 minutes. Retirer du feu, puis réserver.

SAUCES BARBECUE INÉDITES

SAUCE BARBECUE À LA BIÈRE FONCÉE

3 tasses (750 ml)

1 c. à soupe 15 ml	beurre
2 c. à thé 10 ml	huile d'olive
1	grosse gousse d'ail hachée finement
1	petit piment fort paré, épépiné et haché finement (facultatif)
1	oignon moyen haché très finement
1	bière foncée au choix (Guiness, La Maudite, Newcastle Brown, etc.) de 12 oz (340 ml)
1 tasse 250 ml	ketchup
4 c. à soupe 60 ml	sauce Worcestershire
⅓ tasse 80 ml	cassonade foncée, bien compactée
2 c. à soupe 30 ml	moutarde de Dijon
3 c. à soupe 45 ml	vinaigre blanc
2 c. à thé 10 ml	sel
1 c. à thé 5 ml	poivre noir moulu finement

1. Dans une casserole moyenne, faire chauffer le beurre et l'huile à feu moyen. Ajouter l'ail, le piment fort et l'oignon, puis les faire revenir 6-7 minutes en brassant régulièrement. Baisser le feu un peu au besoin.
2. Ajouter la bière, puis laisser réduire de moitié. Ajouter le reste des ingrédients, puis baisser le feu à moyen-doux. Bien mélanger, puis laisser mijoter jusqu'à l'obtention d'une sauce onctueuse qui nappe le dos d'une cuillère, soit environ 15 minutes.
3. Retirer la sauce du feu, puis la laisser refroidir avant de la transvider dans un contenant hermétique. Cette sauce se conserve quelques semaines, scellée, au réfrigérateur.

SAUCE BARBECUE À LA BIÈRE D'ÉPINETTE ET AU SIROP D'ÉRABLE

2 tasses (500 ml)

1 ⅓ tasse 330 ml	bière d'épinette
1 tasse 250 ml	ketchup
½ tasse 125 ml	jus d'orange
	Jus de deux limes
4 c. à soupe 60 ml	sauce soya
1 c. à thé 5 ml	gingembre moulu
2 c. à soupe 30 ml	flocons d'oignon déshydratés
2 c. à thé 10 ml	sel assaisonné
	Poivre noir moulu grossièrement
½ tasse 125 ml	sirop d'érable
4 c. à soupe 60 ml	ciboulette fraîche ciselée finement

1. Mettre tous les ingrédients, sauf le sirop d'érable et la ciboulette, dans une casserole moyenne. Porter à ébullition à feu moyen, en brassant quelques fois.
2. Baisser le feu à moyen-doux, puis laisser mijoter 7 minutes. Ajouter le sirop d'érable et la ciboulette, puis continuer la cuisson 7-10 minutes ou jusqu'à l'obtention d'une sauce onctueuse qui nappe le dos d'une cuillère.
3. Retirer la sauce du feu, puis la laisser refroidir avant de la transvider dans un contenant hermétique. Cette sauce se conserve quelques semaines, scellée, au réfrigérateur.

RONDELLES DE FILETS DE PORC AU PROSCIUTTO ET À LA MENTHE FRAÎCHE 4-6 PORTIONS

2	filets de porc dégraissés d'environ 1 lb (454 g) chacun
	Poivre du moulin
	Moutarde forte au choix
8	grandes tranches de prosciutto de même épaisseur
	Feuilles de menthe fraîche

SAUCE CRÉMEUSE À L'ÉCHALOTE

1 tasse 250 ml	yogourt nature
3	échalotes vertes tranchées très finement
1 c. à soupe 15 ml	jus de citron
1 c. à thé 5 ml	moutarde de Dijon
½ c. à thé 2,5 ml	sel assaisonné

CONSEIL DE CHEF

Pour cuire également un filet de porc entier, retournez la partie la plus mince formant l'extrémité et attachez-la avec de la ficelle afin d'avoir un filet d'une épaisseur uniforme.

1. Couper les filets de porc en deux. Les poivrer généreusement, puis taper la viande avec les paumes des mains pour bien faire pénétrer le poivre dans la chair. Badigeonner la viande avec la moutarde. Réserver.
2. Superposer deux tranches de prosciutto, puis les couvrir de feuilles de menthe fraîche. Déposer un morceau de porc à une extrémité des tranches de prosciutto, puis les rouler le plus serré possible. Réserver le rouleau sur une assiette. Répéter l'opération avec les trois autres morceaux de porc et le reste des ingrédients.
3. Préchauffer le barbecue à feu moyen. Lorsqu'il commence à fumer, bien gratter la grille pour la nettoyer, puis la huiler. Déposer les rouleaux de porc sur la grille, puis les cuire environ 15 minutes au total ou jusqu'au degré de cuisson désiré (le filet de porc se mange légèrement rosé). Tourner la viande quelques fois durant la cuisson.
4. Retirer la viande du feu, puis trancher chaque morceau en rondelles. Servir immédiatement quelques rondelles de filet de porc par portion sur un lit de riz sauvage. Accompagner de brocoli cuit à la vapeur et de sauce crémeuse à l'échalote.

SAUCE CRÉMEUSE À L'ÉCHALOTE

5. Dans un bol, bien fouetter tous les ingrédients. Réserver au réfrigérateur.

CORNETS DE PORC SUCRÉS SUR LIT DE SCAROLE ET DE LAITUE FEUILLE DE CHÊNE 4-6 PORTIONS

1	scarole (chicorée)
1	laitue feuille de chêne
2	pommes rouges parées, puis tranchées minces
1 lb 454 g	porc haché maigre
⅔ tasse 160 ml	chapelure au choix
3	échalotes vertes tranchées finement
1 c. à soupe 15 ml	moutarde forte
½ tasse 125 ml	purée de pommes
4 c. à soupe 60 ml	miel liquide
2 c. à soupe 30 ml	feuilles de basilic frais, ciselées
	Jus d'une demi-lime
1	gros œuf battu
	Sel et poivre
	Sauce forte
	Sauce Worcestershire
8-12	brochettes de bambou trempées dans l'eau 30 minutes
	Huile d'olive
	Paprika moulu
	Vinaigrette crémeuse au concombre
	Crème sure

1. Bien laver, essorer, puis déchiqueter la scarole et la laitue feuille de chêne, puis les mettre dans un grand bol. Ajouter les tranches de pommes, puis mélanger. Répartir également la salade dans six grandes assiettes. Réserver.
2. Mettre le reste des ingrédients, sauf les brochettes de bambou, l'huile d'olive, le paprika, la vinaigrette et la crème sure, dans un robot culinaire. Réduire le tout en un mélange uniforme. Assaisonner au goût de sel, de poivre, de sauce forte et de sauce Worcestershire.
3. Séparer le mélange en 8-12 portions égales. Façonner les portions en cylindres ovales autour des brochettes de bambou, puis bien les compacter. Les déposer sur une grande assiette de service bien huilée. Les badigeonner d'un peu d'huile d'olive, puis les saupoudrer de paprika.
4. Préchauffer le barbecue à feu moyen-élevé. Bien gratter la grille, puis la huiler. Déposer les cornets sur la grille, puis les cuire 10-12 minutes ou jusqu'à ce qu'ils soient bien cuits. Les tourner quelques fois durant la cuisson. Retirer les cornets du gril, puis en déposer 1-2 par assiette contenant le mélange de laitues. Mouiller le tour de l'assiette avec de la vinaigrette crémeuse au concombre, puis garnir chaque portion d'un peu de crème sure. Servir immédiatement.

ROULADES D'ESCALOPES DE PORC AUX POMMES ET À L'AIL 6 PORTIONS

8	escalopes de porc (environ 2,2 lb (1 kg))
8	bouts de ficelle trempés dans l'eau 30 minutes
	Miel liquide

FARCE AUX POMMES ET À L'AIL

4	pommes pelées, parées et râpées
3	gousses d'ail hachées
1 c. à soupe 15 ml	jus de citron
⅔ tasse 160 ml	chapelure
2 c. à soupe 30 ml	cassonade
1 c. à soupe 15 ml	graines de pavot
4	échalotes vertes tranchées finement
	Sel et poivre

1 Déposer une feuille de papier ciré sur le dessus d'une escalope de porc, puis l'aplatir à l'aide d'un maillet (côté plat). Réserver l'escalope sur une grande assiette. Répéter l'opération avec le reste des escalopes.

2 Déposer une escalope sur une surface de travail, puis étendre environ un huitième de la farce aux pommes et à l'ail au centre de celle-ci. Rouler l'escalope par-dessus la farce, puis fixer le tout avec un bout de ficelle. Répéter l'opération avec le reste des escalopes et de la farce. Badigeonner le porc de miel. Réserver.

3 Préchauffer le barbecue à feu moyen-élevé. Une fois que la grille fume, bien la gratter, puis la huiler. Déposer les roulades de porc sur la grille, puis les cuire 10-12 minutes ou jusqu'à ce que le porc soit tendre et cuit. Les tourner quelques fois durant la cuisson. Retirer les roulades du gril, puis en servir 1-2 par personne. Accompagner de fettuccine aux épinards nappées d'une sauce aux poivrons rouges.

FARCE AUX POMMES ET À L'AIL

4 Mettre tous les ingrédients dans un bol, puis bien mélanger. Saler et poivrer au goût. Utiliser immédiatement pour farcir la viande.

SOLEILS DE PORC ET DE TOMATES 6 PORTIONS

2	filets de porc de 1 lb (454 g) chacun
	Poivre
	Moutarde de Meaux ou à l'ancienne
	Feuilles de basilic frais
8	tranches de fromage léger au choix
4	tomates rouges de diamètre un peu plus grand que celui des filets

1 Poivrer généreusement les filets de porc. Replier l'extrémité plus petite et plus mince de chaque filet, puis l'attacher autour du filet avec une petite ficelle préalablement trempée dans l'eau 30 minutes.

2 Préchauffer le barbecue à feu moyen-élevé. Une fois que la grille est bien chaude, la gratter, puis la huiler. Déposer les filets sur la grille, puis les cuire une quinzaine de minutes au total ou jusqu'au degré de cuisson désiré (le filet de porc se mange légèrement rosé). Les tourner quelques fois durant la cuisson.

3 Retirer les filets du gril, puis les déposer sur une surface de travail. Les badigeonner de moutarde de Meaux, puis les couvrir d'un côté de feuilles de basilic. Enrouler les filets de tranches de fromage, puis les réserver.

4 Couper les deux extrémités des tomates, puis les évider afin d'obtenir quatre cylindres dont l'intérieur est légèrement plus grand que les filets de porc garnis. Insérer délicatement chaque filet dans deux cylindres. Trancher délicatement les soleils de porc, puis déposer avec précaution quelques tranches dans chaque assiette. Accompagner d'un risotto aux champignons et de haricots verts étuvés.

CONSEIL DE CHEF

La cuisson fait tomber l'acidité de la tomate tout en conservant ses arômes. L'eau de végétation ne doit jamais bouillir à gros bouillons. Lorsque vous faites cuire des tomates entières au four ou au barbecue, pratiquez au préalable des incisions en cercle au niveau de la circonférence centrale. Cette précaution évite l'éclatement du fruit en cours de cuisson.

CÔTES LEVÉES HAWAÏENNES 4-6 PORTIONS

3-4 lb 1,3-1,8 kg	côtes de porc (dos de préférence) légèrement dégraissées
	Tranches de fruits exotiques (ananas, papaye, carambole, etc.)

MARINADE HAWAÏENNE

1	petite papaye mûre, parée
¼ tasse 60 ml	sauce teriyaki
3	gousses d'ail écrasées
	Jus et zeste d'une lime
3	échalotes vertes tranchées

1 Mettre les côtes de porc sur une surface de travail, puis les couper en côtes individuelles. Les déposer dans un grand plat en verre rectangulaire. Les recouvrir de la marinade hawaïenne, puis les retourner dans le plat afin de bien les enrober de la marinade. Laisser mariner 12-24 heures au réfrigérateur.

2 Retirer les côtes de porc du réfrigérateur 1 heure avant de les cuire.

3 Préchauffer le barbecue à feu moyen. Lorsque la grille est bien chaude, la nettoyer, puis la huiler. Égoutter les côtes de porc, puis réserver la marinade dans un petit bol. Déposer les côtes de porc sur la grille. Baisser le feu à doux, puis couvrir partiellement. Cuire 40-50 minutes au total. Tourner et badigeonner les côtes de porc de la marinade réservée durant la cuisson.

4 Retirer les côtes levées du gril, puis en servir quelques-unes par assiette. Garnir chaque portion de tranches de fruits exotiques. Accompagner de croustilles et d'une salade au choix.

MARINADE HAWAÏENNE

5 Mettre tous les ingrédients dans un robot culinaire, puis réduire en purée lisse. Ajouter un peu plus de sauce teriyaki si désiré. Réserver au réfrigérateur jusqu'au moment de servir.

CONSEIL DE CHEF

Les marinades permettent de parfumer et d'attendrir la chair des viandes et des poissons. Plus les aliments absorbent de liquide, plus ils sont goûteux et tendres. De plus, certains d'entre eux les absorbent plus rapidement que d'autres. Par exemple, les poissons et les fruits de mer sont suffisamment parfumés entre 1 et 12 heures de marinage. Les viandes blanches et la volaille, que l'on marinera de préférence entre 4 et 24 heures, absorbent plus vite les marinades que les viandes rouges, que l'on marinera entre 6 et 72 heures. Les découpes tendres des viandes, comme le filet et les côtelettes, seront attendries plus rapidement que les viandes plus coriaces telles que le flanc, la poitrine ou l'épaule. Le temps de marinage variera donc en fonction de vos goûts et du temps disponible.

CÔTELETTES DE PORC, SALSA AU MAÏS ET AUX POIS MANGE-TOUT 4 PORTIONS

4-8	côtelettes de porc de 1-1 ½ po (2,5-3,8 cm) d'épaisseur
1 c. à thé 5 ml	coriandre moulue
1 c. à thé 5 ml	moutarde sèche
1	bière de 12 oz (340 ml) au choix

SALSA AU MAÏS ET AUX POIS MANGE-TOUT

½ tasse 125 ml	maïs en grains
½ tasse 125 ml	pois mange-tout parés et coupés en six
3	échalotes vertes tranchées finement
1	tomate mûre, parée, évidée et coupée en petits cubes
1 c. à soupe 15 ml	jus de citron
2 c. à soupe 30 ml	huile d'olive
1 c. à soupe 15 ml	coriandre fraîche hachée
	Sauce forte
	Sel et poivre

CONSEIL DE CHEF

Les salsas et les bruschettas se conservent environ une semaine au réfrigérateur dans des contenants hermétiques. Elles atteignent leur saveur maximum environ 24 heures après leur préparation. Par la suite, les aliments deviennent moins croustillants, un élément essentiel de ce type de mets.

1. Mettre les côtelettes dans un grand plat rectangulaire. Les saupoudrer de coriandre et de moutarde sèche, puis les mouiller avec la bière. Les tourner pour bien les enrober de marinade. Couvrir et réfrigérer 4-12 heures selon les goûts et le temps disponible.
2. Préchauffer le barbecue à feu moyen-élevé. Lorsque la grille est bien chaude, la gratter, puis la huiler généreusement. Retirer les côtelettes du plat, puis transvider la marinade dans un petit bol. Déposer les côtelettes sur la grille, puis les cuire 5-7 minutes de chaque côté ou jusqu'à ce que la chair ne soit plus rosée. Badigeonner la viande de marinade durant la cuisson.
3. Retirer les côtelettes du gril, puis en servir 1-2 par personne. Napper chaque portion de salsa au maïs et aux pois mange-tout. Accompagner d'un sauté de légumes ainsi que de riz au citron.

SALSA AU MAÏS ET AUX POIS MANGE-TOUT

4. Dans une casserole, faire bouillir un léger fond d'eau à feu élevé. Ajouter le maïs et les morceaux de pois mange-tout, puis les cuire 2-3 minutes ou jusqu'à ce qu'ils soient cuits « al dente ». Égoutter le tout, puis laisser refroidir.
5. Mettre le maïs et les morceaux de pois mange-tout dans un grand bol. Ajouter le reste des ingrédients. Assaisonner de sauce forte, de sel et de poivre au goût. Mélanger délicatement. Couvrir, puis réfrigérer 2 heures avant de servir.

RÔTI DE PORC GRILLÉ, SAUCE BARBECUE AU WHISKY 6-8 PORTIONS

1	rôti de porc désossé de 3,3 lb (1,5 kg)
	Romarin sec
	Poivre du moulin
	Poudre d'ail
	Épices à steak

SAUCE BARBECUE AU WHISKY

1 ½ tasse 375 ml	sauce barbecue ordinaire
2 c. à soupe 30 ml	raifort préparé
2 c. à soupe 30 ml	sauce Worcestershire
2	gousses d'ail écrasées
4 c. à soupe 60 ml	persil plat haché
¼ tasse 60 ml	whisky au choix
	Sauce tabasco

1 Recouvrir tous les côtés du rôti avec une bonne couche des quatre aromates. Taper la viande avec les paumes des mains pour bien les faire pénétrer dans la chair. Réserver.

2 Préchauffer le barbecue à feu élevé. Une fois que la grille est bien chaude, la gratter, puis la huiler. Mettre le rôti sur la grille. Baisser le feu à moyen-élevé, puis fermer le couvercle. Saisir le rôti 5 minutes de chaque côté. Baisser le feu à moyen, couvrir, puis continuer la cuisson 45-60 minutes de plus ou jusqu'au degré de cuisson désiré (le porc se mange légèrement rosé). Badigeonner la viande de sauce barbecue au whisky (si désiré) et la tourner quelques fois durant la cuisson.

3 Retirer le rôti du gril, puis l'envelopper immédiatement dans une grande feuille de papier d'aluminium. Laisser reposer 10 minutes avant de trancher le rôti, puis servir quelques tranches par portion. Accompagner de sauce barbecue au whisky et de dés de pommes de terre rissolées.

SAUCE BARBECUE AU WHISKY

4 Dans un bol, bien mélanger tous les ingrédients. Assaisonner au goût de sauce tabasco, de sel et de poivre. Réserver au réfrigérateur.

CONSEIL DE CHEF

Suivez ces directives pour cuire un rôti parfait qui fond dans la bouche. Laissez reposer le rôti de 1 à 3 heures à la température ambiante, non couvert, avant de le cuire pour que l'extérieur s'assèche légèrement et emprisonne le jus. Idéalement, faites vieillir la pièce de viande à une température de 6 °C à 8 °C de 24 à 48 heures. Ne salez jamais le rôti avant de le cuire : le sel a pour effet d'absorber le jus de la viande et de l'assécher. Salez le rôti une fois qu'il est saisi ou après la cuisson. Saisissez-le à haute température de 10 à 20 minutes, selon le type de viande et son poids, dans une grande poêle additionnée d'un peu d'huile, dans le four à 475 °F (245 °C) ou au barbecue à feu élevé. Ne cuisez pas trop le rôti. Une fois cuit, enveloppez-le dans une grande feuille de papier d'aluminium et laissez-le reposer 10 minutes. Ceci permettra au jus et aux saveurs de se développer et de remonter à la surface : vous obtiendrez un rôti succulent et très tendre. Vous pouvez déglacer les sucs de cuisson de la poêle ou de la plaque de cuisson avec du bouillon, de l'eau ou du vin, puis servir comme sauce d'accompagnement. Il est aussi possible d'épaissir cette sauce avec un peu de fécule de maïs diluée dans de l'eau. Lorsque vous déglacez, grattez les sucs de cuisson avec une cuillère de bois tout en chauffant à feu moyen-doux.

FILETS DE PORC À L'ARÔME BALSAMIQUE 4 PORTIONS

2	**filets de porc de 13 oz (375 g) chacun**
⅔ tasse 160 ml	**vinaigre balsamique**
1 c. à soupe 15 ml	**moutarde de Dijon**
1 c. à soupe 15 ml	**miel liquide**
1 c. à soupe 15 ml	**flocons d'oignon déshydratés**
2	**gousses d'ail écrasées**
1-2 c. à thé 5-10 ml	**poivre noir du moulin**
4 c. à soupe 60 ml	**huile végétale**
⅔-1 tasse 160-250 ml	**bouillon de poulet en conserve**
¼ lb 115 g	**fromage à la crème**

1 Mettre les filets de porc dans un plat creux juste assez grand pour les contenir. Réserver. Mettre le reste des ingrédients dans un bol, sauf le bouillon de poulet et le fromage à la crème, puis bien fouetter. Verser cette marinade sur les filets de porc, puis les tourner pour bien les enrober de la marinade. Couvrir d'une pellicule de plastique, puis réfrigérer 12-36 heures selon les goûts et le temps disponible.

2 Retirer les filets de porc du réfrigérateur 45 minutes avant de les griller, puis les transférer sur une assiette de service. Les réserver. Transvider la marinade dans une petite casserole, puis y verser le bouillon de poulet.

3 Préchauffer le barbecue à feu moyen-élevé. Une fois que le gril fume abondamment, bien gratter la grille pour la nettoyer, puis baisser le feu à moyen. Déposer les filets de porc sur la grille du barbecue. Les griller 12 minutes au total, en les couvrant presque entièrement, ou jusqu'à ce que la chair soit encore légèrement rosée au centre. Les tourner à quelques reprises durant la cuisson.

4 Retirer les filets de porc du gril, puis les envelopper immédiatement dans une feuille de papier d'aluminium. Réserver 10 minutes. Entre-temps, porter la marinade à ébullition. Baisser le feu à moyen, puis laisser bouillir 5 minutes. Retirer la poêle du feu, puis ajouter le fromage à la crème. Mélanger à l'aide d'un fouet jusqu'à ce que le fromage soit fondu et que la sauce soit homogène.

5 Trancher les filets de porc en rondelles, puis en servir quelques-unes par personne déposées sur un léger fond de sauce crémeuse balsamique. Accompagner de riz jasmin et de pois mange-tout.

Grillades de volaille

BATEAUX DE POIVRONS AU POULET GRILLÉ AU VIN ROUGE 4 PORTIONS

2 lb 900 g	poitrines de poulet sans peau, désossées et coupées en cubes
2	oignons rouges moyens coupés en quartiers
2	gros poivrons rouges coupés en deux moitiés identiques (laisser la calotte comme décoration)
2	gros poivrons jaunes coupés en deux moitiés identiques (laisser la calotte comme décoration)

MARINADE AU VIN ROUGE ET AU THYM

1/3 tasse 80 ml	huile d'olive
2	gousses d'ail écrasées
2 c. à soupe 30 ml	paprika moulu
1/4 c. à thé 1 ml	piment de Cayenne
1 tasse 250 ml	vin rouge du Beaujolais
2	feuilles de laurier
1 c. à soupe 15 ml	thym sec
	Sel et poivre du moulin

1. Dans un grand bol, mélanger les cubes de poulet avec la marinade au vin rouge et au thym. Couvrir et laisser mariner 3-12 heures au réfrigérateur.
2. Préchauffer le barbecue à feu moyen-élevé. Retirer les morceaux de poulet de la marinade, puis les enfiler sur des brochettes en alternant avec des quartiers d'oignons. Baisser le feu à moyen, puis déposer les brochettes sur le gril. Les cuire 18-20 minutes au total ou jusqu'à ce que la chair ne soit plus rosée. Cinq minutes avant la fin de la cuisson des brochettes, mettre les demi-poivrons sur la grille et continuer la cuisson 5-7 minutes en les tournant à la mi-cuisson.
3. Entre-temps, verser le reste de la marinade dans une casserole et porter à ébullition. Baisser le feu à moyen-doux et laisser mijoter 8-10 minutes. Retirer la casserole du feu et réserver. Retirer les brochettes et les poivrons de la grille. Désenfiler les cubes de poulet et les quartiers d'oignons des brochettes.
4. Déposer deux demi-poivrons par assiette. Garnir les cavités des demi-poivrons des cubes de poulet et des quartiers d'oignons grillés. Napper chaque portion de la marinade chaude. Accompagner d'un risotto aux légumes et d'une salade de concombre.

MARINADE AU VIN ROUGE ET AU THYM

5. Dans un bol, mélanger tous les ingrédients. Réserver.

AILES DE POULET DÉCADENTES 24 AILES DE POULET

24	ailes de poulet entières
	Sauce barbecue au choix (maison ou du commerce)

GARNITURE PASSE-PARTOUT POUR GRILLADES

¼ tasse 60 ml	sel de mer
3 c. à soupe 45 ml	cassonade dorée
¼ tasse 60 ml	paprika
2 c. à soupe 30 ml	poivre noir moulu finement
1 c. à soupe 15 ml	poudre d'ail
1 c. à soupe 15 ml	origan sec
½ c. à thé 2,5 ml	piment de Cayenne

CONSEIL DE CHEF

La clé de la réussite des ailes de poulet au barbecue (ou de toute autre découpe de volaille avec la peau) réside dans l'attention constante à la cuisson. Il est essentiel de les tourner fréquemment et de les changer d'endroit si elles cuisent trop rapidement. De plus, il importe de cuire les ailes sur le feu le plus doux possible pour éviter les montées de flammes. De cette façon, vos ailes seront croustillantes et ne seront pas brûlées.

1. Mettre les ailes de poulet sur une grande plaque, puis les recouvrir des deux côtés de garniture passe-partout pour grillades. Frotter la garniture sur la peau de chaque aile avec les mains afin de bien l'imprégner sur toute la surface. Laisser reposer 24 heures au réfrigérateur, sans couvrir.

2. Préchauffer le barbecue à feu moyen. Une fois que le gril fume abondamment, bien gratter la grille pour la nettoyer, puis baisser le feu à doux. Déposer toutes les ailes de poulet d'un seul coup sur la grille. Couvrir presque entièrement, puis cuire 30-35 minutes en tournant les ailes fréquemment (toutes les 2-3 minutes) et en les changeant de place rapidement lorsque de petites flammes apparaissent ou lorsqu'elles cuisent trop vite à un endroit en particulier.

3. Une fois cuites, les retirer du gril, puis les servir immédiatement avec de la sauce barbecue au choix. Accompagner de serviettes de table.

GARNITURE PASSE-PARTOUT POUR GRILLADES

4. Mettre tous les ingrédients dans un contenant hermétique, puis bien incorporer le tout en écrasant les ingrédients avec le dos d'une petite cuillère.

5. Couvrir et réserver au frais jusqu'au moment de servir. Cette garniture sert à enrober presque n'importe quel morceau de volaille, de viande ou de poisson avant la cuisson sur le gril. Elle se conserve quelques mois au réfrigérateur.

POULET « CANETTE DE BIÈRE » 4 PORTIONS

1	poulet de 3-4 lb (1,36-1,82 kg)
1	grand sac pour congélation à fermeture hermétique
1 ½ tasse 375 ml	marinade au choix
1	canette de bière en aluminium de 12 oz (340 ml), au choix
½ tasse 125 ml	petits copeaux de bois pour fumage

ASSAISONNEMENT-GARNITURE POUR GRILLADES

¼ tasse 60 ml	cassonade
¼ tasse 60 ml	gros sel de mer
¼ tasse 60 ml	beurre ramolli
2 c. à soupe 30 ml	paprika moulu
2 c. à soupe 30 ml	épices à steak

1 Cette technique de cuisson hors de l'ordinaire nous vient des États-Unis (évidemment !). Elle consiste à faire mariner un poulet entier, puis à le cuire sur le gril, debout, en lui insérant une canette de bière dans la cavité abdominale. Non seulement la bière aromatise le poulet durant la cuisson, mais la canette stabilise aussi le poulet debout sur la grille, permettant ainsi une cuisson presque entièrement indirecte. Cela diminue beaucoup les levées de flammes qui surviennent lorsqu'on grille du poulet avec la peau. Cette recette peut être doublée ou même triplée très facilement.

2 Retirer les abats à l'intérieur du poulet et les réserver pour un usage ultérieur. Découper la peau excédentaire à chaque extrémité. Bien laver le poulet à l'eau froide, puis l'assécher avec des essuie-tout. Le mettre dans le sac à fermeture hermétique, puis y verser la marinade. Retirer le plus d'air possible du sac, puis le sceller. Bien mélanger, puis réserver 12-36 heures au réfrigérateur en le tournant à quelques reprises.

3 Retirer le poulet du réfrigérateur, puis le réserver. Ouvrir la canette de bière, puis en verser environ un tiers dans un bol. Avec un tournevis, faire deux autres trous sur le dessus de la canette. Insérer les copeaux de bois par l'ouverture de la canette, puis déposer celle-ci au centre d'une surface de travail.

4 Retirer le poulet du sac, puis le déposer délicatement sur la canette, par la cavité abdominale, comme s'il se tenait debout sur ses deux pattes. Rentrer la canette aux deux tiers dans le poulet. Positionner les cuisses en avant afin que le poulet tienne bien tout seul et qu'il forme un genre de trépied. Enrober le poulet d'assaisonnement-garniture pour grillades avec vos mains en pressant sur la peau pour bien le compacter et l'adhérer. Réserver. Verser le reste de la marinade dans le bol contenant la bière, puis réserver cette marinade pour badigeonner le poulet durant la cuisson.

5 Préchauffer le barbecue à feu moyen. Gratter la grille, puis déposer délicatement le poulet (avec la canette!) debout au centre de la grille. Il doit se tenir tout seul. Selon votre type de barbecue, vous pouvez opter pour une cuisson indirecte. Couvrir presque entièrement et baisser le feu à doux. Cuire le poulet 60-70 minutes en le vérifiant fréquemment et en le badigeonnant régulièrement de marinade. Arrêter de badigeonner le poulet de marinade 10 minutes avant la fin de la cuisson. Retirer délicatement le poulet du gril, puis le couper en quartiers et le servir immédiatement. Accompagner de pommes de terre grillées et d'une salade au choix. Servir avec une sauce barbecue.

ASSAISONNEMENT-GARNITURE POUR GRILLADES

6 Mettre tous les ingrédients dans un bol, puis mélanger avec une fourchette. Couvrir et réserver au frais. Idéal pour enrober ou garnir la volaille, la viande et les légumes avant de les griller.

BROCHETTES DE POULET AU VIN BLANC ET À L'AIL 4-6 PORTIONS

2	poitrines de poulet sans peau, désossées et coupées en gros cubes	*4 c. à soupe* 60 ml	huile d'olive
1	poivron rouge paré et coupé en cubes	*1 c. à thé* 5 ml	sauge moulue
8	gousses d'ail avec peau	*1 c. à thé* 5 ml	thym moulu
8	brochettes de bambou trempées dans l'eau 30 minutes	*1 c. à thé* 5 ml	estragon sec
		2	échalotes sèches hachées
			Sel et poivre

MARINADE AU VIN BLANC

⅔ tasse 160 ml	vin blanc sec

CONSEIL DE CHEF

Pour éviter de contaminer les aliments lorsque vous cuisinez sur le gril, utilisez des ustensiles, des accessoires et des récipients propres. Nettoyez immédiatement les assiettes, les ustensiles et tous les autres accessoires ayant servi à la manipulation des viandes crues, particulièrement des volailles. Lavez-vous les mains avec de l'eau savonneuse entre les opérations.

1. Dans un grand bol, déposer les cubes de poulet, puis mouiller avec la marinade au vin blanc. Bien mélanger et réfrigérer 2-12 heures selon les goûts et le temps disponible. Monter les brochettes en alternant des cubes de poulet et des morceaux de poivron. Piquer une gousse d'ail par brochette.
2. Préchauffer le barbecue à feu moyen, puis bien gratter la grille une fois qu'elle fume abondamment. Déposer les brochettes sur le gril, puis les cuire 7-8 minutes de chaque côté ou jusqu'à ce que la chair ne soit plus rosée. Servir 1-2 brochettes par personne sur un lit de riz. Accompagner d'une salade verte.

MARINADE AU VIN BLANC

3. Dans un bol, bien fouetter tous les ingrédients. Saler et poivrer au goût, puis réserver.

BROCHETTES DE POULET AUX POMMES, SAUCE À LA MANGUE 4-6 PORTIONS

2	poitrines de poulet sans peau, désossées et coupées en cubes
1 tasse 250 ml	jus de pomme
1 c. à thé 5 ml	gingembre moulu
2	pommes parées et coupées en quartiers
16	olives noires dénoyautées
8	brochettes en bambou trempées dans l'eau 30 minutes

SAUCE À LA MANGUE

	Chair d'une demi-mangue
½ tasse 125 ml	crème sure
1 c. à soupe 15 ml	ciboulette fraîche ciselée
	Sel et poivre

1 Dans un grand bol, bien mélanger les cubes de poulet, le jus de pomme et le gingembre. Bien mélanger et réfrigérer 3-12 heures. Monter les brochettes en alternant des cubes de poulet, des quartiers de pommes et des olives. Les réserver sur une assiette de service.

2 Préchauffer le barbecue à feu moyen, puis bien gratter la grille une fois qu'elle fume abondamment. Déposer les brochettes sur la grille, puis les cuire15-20 minutes au total en les tournant à quelques reprises. Badigeonner les brochettes durant la cuisson avec le reste de la marinade. Retirer les brochettes du gril, puis en servir immédiatement 1-2 par personne. Accompagner d'une salade César et de sauce à la mangue.

SAUCE À LA MANGUE

3 Réduire tous les ingrédients en purée à l'aide d'un robot culinaire. Transvider la sauce dans un bol et couvrir. Réserver au réfrigérateur.

BROCHETTES DE POULET EN SERPENTIN À LA CITRONNELLE 4 PORTIONS

1 ⅓ lb	600 g	poitrines de poulet sans peau, désossées et coupées en cubes
1		poivron vert paré et coupé en cubes
8		tranches de bacon

MARINADE À LA CITRONNELLE

2		branches de citronnelle fraîche, tranchées
		Jus de deux limes
⅓ tasse	80 ml	huile d'olive
½ c. à thé	2,5 ml	cumin moulu
1		gousse d'ail
		Sel et poivre

CONSEIL DE CHEF

Arrêtez de badigeonner les mets de marinade au moins 2 minutes avant la fin de la cuisson. De cette façon, les bactéries que peut contenir la marinade seront détruites avant que vous retiriez vos aliments du gril. Il est préférable de mariner vos mets au réfrigérateur, même s'il est possible de mariner les légumes et les viandes rouges quelques heures (de 1 à 4 heures) à la température ambiante.

1. Mettre les cubes de poulet dans un bol et mouiller avec la marinade à la citronnelle. Laisser mariner 4 heures au réfrigérateur.
2. Enfiler les morceaux de poulet en serpentin et le poivron sur des brochettes en alternant avec une tranche de bacon.
3. Préchauffer le barbecue à feu moyen, puis bien gratter la grille une fois qu'elle fume abondamment. Déposer les brochettes sur la grille, puis les cuire 7 minutes de chaque côté en les badigeonnant du reste de la marinade durant la cuisson. Retirer les brochettes du gril, puis en servir 1-2 par personne. Accompagner d'une salade du chef et de pommes de terre au barbecue.

MARINADE À LA CITRONNELLE

4. Mettre tous les ingrédients dans un robot culinaire et réduire le tout en marinade lisse. Assaisonner selon les goûts de sel et de poivre. Ajouter un peu d'huile au besoin. Réserver au réfrigérateur.

BROCHETTES DE POULET AUX FRUITS ET AU SÉSAME **4 PORTIONS**

2 lb 900 g	poitrines de poulet sans peau, désossées et coupées en cubes
8	gros cubes de chair d'avocat
8	gros cubes de chair de mangue
8	rondelles de banane

MARINADE AU SÉSAME

⅓ tasse 80 ml	huile de sésame
¼ tasse 60 ml	graines de sésame légèrement grillées
2 c. à soupe 30 ml	jus de lime
1 c. à thé 5 ml	herbes de Provence
	Sel et poivre du moulin

1 Mettre les cubes de poulet et la marinade au sésame dans un bol en verre. Bien mélanger, couvrir et réfrigérer 4-12 heures selon les goûts et le temps disponible. Brasser à quelques reprises durant le marinage. Retirer le bol du réfrigérateur et enfiler les cubes de poulet en alternant avec des morceaux de fruits (faire un total de huit brochettes). On peut aussi ajouter des cubes de poivron rouge aux brochettes pour donner de la couleur.

2 Préchauffer le barbecue à feu moyen. Bien gratter la grille une fois qu'elle fume abondamment, puis la huiler. Déposer les brochettes sur la grille, puis les cuire 15-17 minutes. Les tourner à quelques reprises et les badigeonner du reste de la marinade durant la cuisson.

3 Retirer les brochettes du gril, puis en servir immédiatement deux par personne. Accompagner de pâtes fraîches et d'une salade d'oignons et de tomates.

MARINADE AU SÉSAME

4 Dans un bol, bien mélanger tous les ingrédients. Assaisonner de sel et de poivre du moulin. Couvrir et réserver au réfrigérateur.

SHISH TAHOUK 4 PORTIONS

1 lb 454 g	poitrine de poulet sans peau, désossées
	Jus d'un demi-citron
2 c. à soupe 30 ml	huile d'olive
	Poivre
	Feuilles de romarin frais, ciselées
4	pitas coupés en deux
	Feuilles de laitue
	Tomates tranchées
2 tasses 500 ml	riz cuit
	Persil frais
	Tranches de citron

MAYONNAISE À L'AIL

½ tasse 125 ml	mayonnaise
3	gousses d'ail hachées finement
1 c. à soupe 15 ml	jus de citron
	Sel et poivre

1 Asperger le poulet avec le jus de citron et l'huile d'olive, puis l'assaisonner au goût de poivre et de romarin frais . Réserver.

2 Préchauffer le barbecue à feu moyen, puis bien gratter la grille une fois qu'elle fume abondamment. Déposer la poitrine de poulet sur le gril et la cuire 15-17 minutes au total ou jusqu'à ce que la chair ne soit plus rosée.

3 Retirer le poulet du feu et le trancher finement. Répartir également le poulet tranché dans chaque assiette et accompagner de demi-pitas, de feuilles de laitue, de tranches de tomates et de riz. Garnir chaque portion de quelques cuillères à soupe (15 ml) de mayonnaise à l'ail. Décorer de persil frais et de tranches de citron.

MAYONNAISE À L'AIL

4 Mélanger tous les ingrédients dans un bol, puis saler et poivrer au goût. Bien mélanger. Couvrir et réserver au réfrigérateur.

MARINADES POUR VIANDES BLANCHES

Ces marinades aromatisent le veau, le porc et la volaille. Le temps de marinage ne dépend que de vos goûts et du temps disponible.

MARINADE FRUITÉE AU GINGEMBRE

1 ¾ tasse (430 ml)

½ tasse 125 ml	yogourt aux fruits
⅓ tasse 80 ml	huile végétale
1	kiwi pelé et pilé
2 c. à soupe 30 ml	miel liquide
1 c. à soupe 15 ml	gingembre frais haché finement
2 c. à soupe 30 ml	menthe fraîche hachée
	Jus d'une demi-lime

1 Dans un bol, bien mélanger tous les ingrédients. Réserver au réfrigérateur.

MARINADE INDIENNE

1 ⅓ tasse (330 ml)

2	gousses d'ail écrasées
3 c. à soupe 45 ml	pâte tandoori (sauce rouge indienne)
	Jus d'un demi-citron
1 tasse 250 ml	yogourt nature ou crème sure
1 c. à soupe 15 ml	poudre de curry
2 c. à thé 10 ml	paprika espagnol
	Poivre du moulin

1 Dans un bol, bien mélanger tous les ingrédients. Réserver au réfrigérateur.

MARINADE-SAUCE POUR AILES ET PILONS DE POULET

2 ½ tasses (625 ml)

2	gousses d'ail hachées finement
½	oignon jaune moyen haché finement
⅓ tasse 80 ml	huile végétale
⅔ tasse 160 ml	sauce tomate
3 c. à soupe 45 ml	sauce Worcestershire
½ tasse 125 ml	sauce chili
1 c. à soupe 15 ml	poudre de chili
4 c. à soupe 60 ml	vinaigre blanc
4 c. à soupe 60 ml	moutarde de Dijon
4 c. à soupe 60 ml	cassonade
¼ c. à thé 1 ml	piment de Cayenne
	Sel et poivre
	Sauce forte

1 Dans une casserole, faire revenir l'ail et l'oignon dans l'huile, à feu moyen, 2 minutes. Incorporer le reste des ingrédients. Assaisonner selon les goûts de sel, de poivre et de sauce forte.

2 Bien mélanger et porter à une légère ébullition. Laisser mijoter jusqu'à l'obtention de la consistance désirée. Retirer du feu et réserver au réfrigérateur dans un contenant hermétique. Peut être utilisée comme marinade et sauce d'accompagnement.

MARINADE À LA CORIANDRE ET À LA NOIX DE COCO

2 ⅓ tasses (580 ml)

1 tasse 250 ml	lait de noix de coco
¼ tasse 60 ml	coriandre fraîche ciselée
¼ tasse 60 ml	jus d'orange
½ tasse 125 ml	cubes d'ananas en boîte, hachés
3 c. à soupe 45 ml	citronnelle hachée finement (facultatif)
½ c. à thé 2,5 ml	poudre d'ail
	Mélange de quatre poivres

1 Dans un bol, bien mélanger tous les ingrédients. Assaisonner au goût du mélange de quatre poivres. Couvrir et réserver au réfrigérateur.

CUISSES DE POULET GRILLÉES, SAUCE AUX FRAISES ET AU CHÈVRE 4 PORTIONS

4	grosses cuisses de poulet
2 c. à soupe 30 ml	ciboulette fraîche hachée
4 c. à soupe 60 ml	huile d'olive
1	gousse d'ail hachée finement
1 c. à soupe 15 ml	boulgour ou germe de blé grillé
1 c. à soupe 15 ml	jus de lime
1 c. à thé 5 ml	moutarde sèche
	Sel et poivre
	Fraises fraîches

SAUCE AUX FRAISES ET AU CHÈVRE

3 tasses 750 ml	fraises fraîches, équeutées et coupées en quatre
3 c. à soupe 45 ml	sucre granulé
⅓ tasse 80 ml	eau
½ lb 227 g	fromage de chèvre frais (crémeux)

CONSEIL DE CHEF

Lorsque vous cuisez du poulet avec la peau sur le gril, le gras qui s'en écoule pourrait tomber sur les briquettes chaudes et s'enflammer. Cette flamme, responsable de la saveur typique du barbecue, libère une substance potentiellement cancérigène : le benzopyrène. De plus, si vous retirez la peau et le gras, la viande aura l'avantage d'être moins riche en gras saturés.

1 Déposer les cuisses de poulet sur une surface de travail, puis séparer le pilon du haut de cuisse. Découper environ la moitié de la peau et faire quelques incisions sur le dessus. Réserver le poulet. Dans un bol, bien mélanger le reste des ingrédients, sauf les fraises fraîches, puis assaisonner au goût de sel et de poivre. Enrober les huit morceaux de poulet de ce mélange. Taper la chair du poulet avec vos mains pour bien imprégner la garniture.

2 Préchauffer le barbecue à feu moyen. Bien nettoyer la grille, puis la huiler. Déposer les morceaux de poulet sur la grille du barbecue, puis couvrir partiellement. Cuire environ 20-25 minutes ou jusqu'à ce que le poulet soit bien grillé et que sa chair ne soit plus rosée. Tourner les morceaux de poulet quelques fois durant la cuisson.

3 Retirer le poulet du gril et servir deux morceaux par personne, partiellement nappés de sauce aux fraises et au chèvre. Décorer chaque portion de fraises fraîches. Accompagner de frites assaisonnées et de haricots verts.

SAUCE AUX FRAISES ET AU CHÈVRE

4 Mettre les fraises, le sucre et l'eau dans une petite casserole, puis porter à ébullition, à feu moyen, en mélangeant régulièrement. Lorsque les fraises sont bien tendres et que le mélange ressemble à la consistance d'une confiture maison, retirer la casserole du feu, puis laisser reposer 10 minutes avant de réduire le mélange au robot culinaire jusqu'à l'obtention d'une sauce uniforme.

5 Remettre la sauce dans la casserole, puis ajouter le fromage de chèvre. Réchauffer à feu doux tout en fouettant bien. Si la sauce est un peu trop épaisse, incorporer un peu plus d'eau. Réserver au réfrigérateur. Servir chaud.

CUISSES DE POULET « HOT & SPICY » 4-6 PORTIONS

6 c. à soupe 90 ml	pâte de tomate
	Jus d'une lime
1	gousse d'ail écrasée
2 c. à soupe 30 ml	huile d'olive
4 c. à soupe 60 ml	sauce barbecue au choix
1 c. à thé 5 ml	paprika
1 c. à thé 5 ml	poudre de chili
¼ c. à thé 1 ml	piment de Cayenne
	Sauce tabasco
	Sauce Worcestershire
8	cuisses de poulet

1 Dans un grand bol, mettre tous les ingrédients, sauf les cuisses de poulet, puis assaisonner au goût des sauces tabasco et Worcestershire. Réserver.

2 Déposer les cuisses de poulet sur une grande assiette de service, puis les recouvrir de la moitié de la sauce. Retourner les cuisses de poulet pour les enrober entièrement de sauce. Réserver le reste de la sauce pour plus tard.

3 Préchauffer le barbecue à feu moyen, puis bien gratter la grille une fois qu'elle fume abondamment. Déposer les cuisses de poulet sur le gril, puis les cuire 18-22 minutes en les tournant à quelques reprises. Couvrir partiellement durant la cuisson. Servir 1-2 cuisses par personne badigeonnées du reste de la sauce. Accompagner d'une salade grecque et de riz.

CONSEIL DE CHEF

Lorsque vous grillez du poulet avec la peau, qu'il soit entier ou en morceaux, soyez très vigilant car les montées de flammes sont fréquentes. Pour diminuer les risques de brûler la peau du poulet, cuisez-le à feu doux, partiellement couvert, et soyez presque toujours présent pour réagir rapidement. De plus, n'hésitez pas à enlever un peu de peau sur le poulet et à le tourner régulièrement durant le grillage. Ces précautions vous permettront de cuire votre poulet à merveille et de profiter pleinement de sa peau croustillante.

BLANCS DE POULET GRILLÉS DE LA CÔTE OUEST **4 PORTIONS**

4	gros blancs de poulet (demi-poitrines)
	Sel et poivre
	Persil sec
	Huile de canola
4	demi-pêches en boîte, avec un peu de jus

FARCE AU BLEU ET AUX PÊCHES

2	demi-pêches en boîte, égouttées
¼ lb 115 g	fromage bleu émietté
2	échalotes vertes tranchées
1-2 c. à soupe 15-30 ml	vin blanc sec
	Poivre noir du moulin

1 Déposer les blancs de poulet sur une surface de travail. Avec un petit couteau, faire une longue incision sur le côté de chaque blanc de poulet afin de créer une cavité. Procéder délicatement pour ne pas percer les parois. Assaisonner tous les côtés du poulet de sel, de poivre et de persil. Taper la viande avec vos mains pour bien imprégner les assaisonnements dans la chair.

2 Farcir généreusement mais délicatement chaque blanc de poulet de la farce au bleu et aux pêches. Vous pouvez sceller, si vous le désirez, la cavité de chaque blanc de poulet avec de petites cordes. Déposer les blancs de poulet sur une assiette et les badigeonner d'huile de canola.

3 Préchauffer le barbecue à feu moyen-élevé. Bien nettoyer la grille, puis la huiler légèrement. Baisser le feu à moyen, puis déposer les blancs de poulet sur la grille et les cuire 7-8 minutes de chaque côté ou jusqu'à ce que la chair ne soit plus rosée. Couvrir partiellement durant la cuisson. Les retirer du gril et en servir un par personne. Garnir chaque portion d'une demi-pêche coupée en éventail et mouiller avec un peu de jus. Accompagner d'une salade de fruits et de riz blanc.

FARCE AU BLEU ET AUX PÊCHES

4 Couper les demi-pêches en petits cubes et les réserver. Mettre le reste des ingrédients dans un bol. Travailler le tout avec le dos d'une fourchette jusqu'à l'obtention d'une pâte homogène. Ajouter les pêches en cubes et assaisonner au goût de poivre du moulin. Mélanger délicatement et réserver au réfrigérateur jusqu'au moment de servir.

TOMATES CERISES FARCIES À LA TIKKA 4 PORTIONS

20	grosses tomates cerises (les plus grosses possible)
1 lb 454 g	poitrine de poulet sans peau, désossée
4	brochettes de métal ou de bambou

MARINADE TIKKA

2	gousses d'ail écrasées
1 c. à thé 5 ml	gingembre frais pelé et haché
1 c. à thé 5 ml	coriandre moulue
1 c. à thé 5 ml	cumin moulu
1 c. à thé 5 ml	curcuma moulu
1 c. à thé 5 ml	paprika
2 c. à thé 10 ml	poudre de chili
	Jus d'une lime
½ tasse 125 ml	crème sure
	Sel de mer
	Poivre du moulin

1. Couper la calotte de chaque tomate cerise et les évider délicatement avec une petite cuillère ou une cuillère à melon. Les réserver sur une grande assiette au réfrigérateur. Couper la poitrine de poulet en morceaux juste assez gros pour qu'ils puissent entrer dans la cavité des tomates cerises. Mettre les morceaux de poulet dans un plat rectangulaire de grandeur moyenne. Mouiller avec la marinade tikka. Laisser mariner au réfrigérateur 2-4 heures en mélangeant à quelques reprises.
2. Préchauffer le barbecue à feu moyen, puis bien gratter la grille une fois qu'elle fume abondamment. Remplir chaque coquille de tomate avec un morceau de poulet, puis les enfiler sur des brochettes. Déposer les brochettes sur la grille, puis les cuire 7-8 minutes de chaque côté en couvrant partiellement.
3. Retirer les brochettes du feu et les répartir également dans quatre assiettes. Servir immédiatement et accompagner d'une salade verte et de riz aux légumes.

MARINADE TIKKA

4. Dans un bol, bien mélanger tous les ingrédients. Assaisonner selon les goûts de sel et de poivre. Couvrir et réserver au réfrigérateur.

PILONS DE POULET À LA LIMONADE EN BROCHETTES 4-6 PORTIONS

3 lb 1,36 kg	**petits pilons de poulet**
	Quartiers de lime

MARINADE À LA LIMONADE

2	**gousses d'ail hachées finement**
1 c. à soupe 15 ml	**persil frais haché**
2 c. à thé 10 ml	**poudre de chili**
½ tasse 125 ml	**concentré de limonade congelé**
3 c. à soupe 45 ml	**eau chaude**
2 c. à thé 10 ml	**zeste de lime râpé finement**
1 c. à thé 5 ml	**sel de céleri ou assaisonné**

1. Enlever la peau autour des pilons de poulet et la jeter. Déposer les pilons dans un plat creux assez grand pour les contenir. Verser la marinade à la limonade sur les pilons et couvrir. Réfrigérer 8-24 heures selon les goûts et le temps disponible. Retourner les pilons une seule fois durant le marinage.

2. Préchauffer le barbecue à feu moyen-élevé. Bien nettoyer la grille, puis la huiler. Enfiler les pilons de poulet sur de grandes brochettes, en métal de préférence. Baisser immédiatement le feu à moyen, puis déposer les brochettes sur le gril et les griller 20-25 minutes au total ou jusqu'à ce que la chair ne soit plus rosée. Les tourner à quelques reprises durant le grillage. Les badigeonner généreusement du reste de la marinade durant la cuisson. Retirer les brochettes du gril, puis en déposer 1-2 par portion. Décorer chaque portion de quartiers de lime. Accompagner d'une julienne de légumes au miel et de pommes de terre nouvelles au beurre et aux herbes.

MARINADE À LA LIMONADE

3. Dans un petit bol, bien mélanger tous les ingrédients jusqu'à ce que le concentré de limonade soit dégelé. Couvrir et réserver au réfrigérateur.

DEMI-CAILLES EN BROCHETTES AUX CANNEBERGES ET AU PINOT NOIR 4-6 PORTIONS

6	**petites cailles prêtes à cuire**
	Huile de canola
	Sel et poivre
	Thym moulu

MARINADE AUX CANNEBERGES ET AU PINOT NOIR

⅔ tasse 160 ml	**sucre granulé**
1 ⅓ tasse 330 ml	**pinot noir (vin rouge)**
⅔ lb 300 g	**canneberges congelées ou fraîches**
1 c. à thé 5 ml	**poudre de cinq-épices chinoises**
2	**gousses d'ail**
2	**feuilles de laurier**

1. Sur une surface de travail, couper chaque caille en deux moitiés identiques. Bien les aplatir avec vos mains, puis faire deux longues incisions diagonales sur la peau de chacune. Déposer les demi-cailles dans un grand plat rectangulaire en verre. Mouiller avec la marinade aux canneberges et au pinot noir. Retourner les cailles pour bien les enrober de marinade. Laisser mariner 6-12 heures au réfrigérateur.

2. Préchauffer le barbecue à feu moyen-élevé. Bien nettoyer la grille, puis la huiler. Retirer les demi-cailles du réfrigérateur, puis enlever l'excédent de marinade sur chacune d'elles. Transvider le reste de la marinade dans une petite casserole, puis la réserver.

3. À l'aide de longues brochettes de métal, enfiler 1-2 demi-cailles par brochette, puis déposer ces dernières sur une grande assiette de service. Les badigeonner d'huile, puis les assaisonner au goût de chaque côté de sel, de poivre et de thym.

4. Déposer les brochettes de cailles sur le gril et les cuire environ 25 minutes au total ou jusqu'à ce que la chair ne soit plus rosée. Après les 5 premières minutes de cuisson, baisser le feu à moyen. Les tourner une seule fois à la mi-cuisson.

5. Retirer les brochettes du gril, puis servir 2-3 demi-cailles grillées par portion. Napper de la marinade réservée préalablement bouillie quelques minutes et passée au tamis. Décorer chaque portion de quelques canneberges fraîches. Accompagner d'une salade du chef et de pain croûté.

MARINADE AUX CANNEBERGES ET AU PINOT NOIR

6. Mettre le sucre et le pinot noir dans une casserole. Porter à ébullition. Baisser le feu à moyen-doux, puis laisser mijoter jusqu'à ce que le sucre soit dissous. Ajouter le reste des ingrédients, puis laisser mijoter 5-10 minutes ou jusqu'à ce que les canneberges soient tendres. Retirer du feu, puis réserver.

IN ROUGE
VIEILLES

CAILLES GRILLÉES À LA CHINOISE, AUX GRAINES DE SÉSAME 4-6 PORTIONS

3 lb 1,36 kg	cailles prêtes à cuire
	Huile de sésame
	Graines de sésame grillées

MARINADE CHINOISE

1 c. à thé 5 ml	graines d'anis
2 c. à thé 10 ml	graines d'aneth
1 c. à thé 5 ml	graines de céleri
3 c. à soupe 45 ml	graines de sésame
1-2 c. à thé 5-10 ml	sauce sichuan (sauce forte chinoise)
1	petit oignon haché très finement
2	gousses d'ail hachées finement
3 c. à soupe 45 ml	miel liquide
3 c. à soupe 45 ml	sauce soya
⅓ tasse 80 ml	xérès ou porto
	Sel et poivre

1 Déposer les cailles sur une surface de travail, puis retirer les os du dos en les découpant avec une paire de ciseaux de boucher. Bien aplatir chaque caille avec la paume de la main. Déposer les cailles aplaties dans un grand plat rectangulaire. Mouiller avec la marinade chinoise, puis bien enrober les cailles dans la marinade en les tournant plusieurs fois. Réfrigérer 3-6 heures.

2 Piquer chaque caille en croix avec deux petites brochettes de bambou, puis les déposer sur une assiette de service. Les badigeonner avec un peu du reste de la marinade chinoise et d'huile de sésame.

3 Préchauffer le barbecue à feu moyen. Bien nettoyer la grille, puis la huiler généreusement. Déposer les cailles sur la grille du barbecue, couvrir partiellement, puis les cuire 22-25 minutes au total ou jusqu'à ce que la chair des cailles ne soit plus rosée. Badigeonner les cailles du reste de la marinade chinoise durant la cuisson. Tourner les cailles à quelques reprises pendant le grillage. Soyez vigilant pour éviter les montées de flammes.

4 Retirer les cailles du gril, puis en servir 1-2 par personne. Garnir chaque caille de graines de sésame grillées, puis servir immédiatement. Accompagner de brocoli et de riz brun à l'orange.

MARINADE CHINOISE

5 Mettre les quatre types de graines dans un mortier ou un moulin à café, puis les réduire en poudre. Vider dans un bol, puis ajouter le reste des ingrédients tout en mélangeant. Saler et poivrer au goût. Réserver au réfrigérateur.

MAGRETS DE CANARD GRILLÉS, SAUCE AU POIVRE VERT 6 PORTIONS

3	magrets de canard de 1 lb (454 g) chacun
	Sel et poivre

SAUCE AU POIVRE VERT

1 tasse 250 ml	vin blanc sec
⅓ tasse 80 ml	brandy
3 c. à soupe 45 ml	saumure dans laquelle baignent les grains de poivre vert en boîte
½ tasse 125 ml	bouillon de poulet
1 tasse 250 ml	crème 35 %, à cuisson
2 c. à soupe 30 ml	vinaigre de vin
1 c. à thé 5 ml	sucre granulé
3 c. à soupe 45 ml	xérès ou porto
2 c. à soupe 30 ml	grains de poivre vert en saumure

1 Retirer presque tout le gras sur les magrets (en laisser une mince couche), puis bien les assaisonner de poivre et de sel. Les réserver.

2 Préchauffer le barbecue à feu moyen-élevé, puis bien gratter la grille une fois qu'elle fume abondamment. Déposer les magrets sur la grille du barbecue, côté gras en premier, puis les saisir 3-4 minutes de chaque côté. Baisser le feu à moyen, puis couvrir partiellement. Continuer la cuisson des magrets un autre 10-12 minutes au total et pas plus (le canard se mange médium-saignant), en les tournant à la mi-cuisson.

3 Retirer les magrets de canard du gril, puis les trancher en angles. Les disposer sur un plat de service. Napper le tout avec la sauce au poivre vert et servir immédiatement. Accompagner de tomates provençales et de fenouil grillé.

SAUCE AU POIVRE VERT

4 Dans une casserole, porter à ébullition le vin et le brandy. Baisser le feu et laisser mijoter afin de réduire le liquide des deux tiers. Incorporer la saumure des grains de poivre vert ainsi que le bouillon. Bien mélanger, puis laisser réduire 5 minutes à feu moyen.

5 Baisser le feu à doux et incorporer la crème 35 % tout en fouettant. Laisser mijoter environ 15 minutes afin de réduire le liquide du tiers. Retirer la casserole du feu, couvrir et réserver.

6 Dans une autre casserole, mélanger le vinaigre, le sucre et le xérès, puis porter à ébullition. Baisser le feu et cuire jusqu'à ce que le mélange soit caramélisé (environ 1 minute). Transvider cette préparation dans la première casserole contenant la sauce à la crème, puis ajouter les grains de poivre vert. Bien mélanger et servir ou réserver au chaud.

CONSEIL DE CHEF

Qu'est-ce qui différencie les magrets des poitrines de canard ? Le magret est une demi-poitrine de canard qui provient d'un canard élevé pour la production de foie gras (canard gras), la plupart du temps le canard mulard. Il est recouvert d'une épaisse couche de gras. La poitrine provient des autres types de canards. Elle est composée de deux demi-poitrines et est recouverte d'une couche de gras beaucoup plus mince. Le canard mulard étant plus gros, il n'est pas rare qu'un magret soit d'un poids équivalent à une poitrine.

Grillades d'agneau et de lapin

BROCHETTES D'AGNEAU (SHISH KEBAB) 4 PORTIONS

1 c. à thé 5 ml	romarin moulu
2 c. à thé 10 ml	herbes de Provence
2	gousses d'ail écrasées
	Jus et zeste râpé finement d'un petit citron
¼ tasse 60 ml	vinaigre de vin rouge
⅓ tasse 80 ml	huile d'olive
	Sel et poivre du moulin
2,2 lb 1 kg	gros cubes d'agneau (épaule, gigot, etc.), dégraissés et dénervés
1	gros poivron vert coupé en gros carrés
2	oignons moyens coupés en quartiers

1 Mettre les six premiers ingrédients dans un bol en verre, puis saler et poivrer généreusement. Bien fouetter, puis ajouter les cubes d'agneau. Mélanger, couvrir, puis réfrigérer 6-24 heures selon les goûts et le temps disponible.

2 Retirer le bol du réfrigérateur, puis enfiler les cubes de viande sur des brochettes en les alternant avec des carrés de poivron et des quartiers d'oignons. Déposer les brochettes sur une grande assiette de service, puis verser le reste de la marinade sur celles-ci. Réserver.

3 Préchauffer le barbecue à feu moyen-élevé. Une fois que le gril fume abondamment, bien gratter la grille pour la nettoyer, puis baisser le feu légèrement. Déposer les brochettes d'agneau sur la grille du barbecue. Les cuire 8-10 minutes au total en les tournant et en les badigeonnant à quelques reprises du reste de la marinade contenue dans le fond de l'assiette de service.

4 Retirer les brochettes du gril, puis en servir immédiatement 1-2 par portion sur un fond de riz aux olives et aux tomates. Accompagner d'une salade du chef.

BROCHETTES D'AGNEAU AUX FRAMBOISES ET À LA CANNELLE 4 PORTIONS

1 ⅓ lb 600 g	agneau au choix, dégraissé et coupé en cubes
	Poivre du moulin
	Cumin moulu
	Légumes au choix, parés et coupés en cubes
	Framboises fraîches

MARINADE AUX FRAMBOISES ET À LA CANNELLE

⅔ tasse 160 ml	framboises écrasées avec le jus (fraîches ou congelées)
1 c. à soupe 15 ml	cassonade
⅓ tasse 80 ml	huile
⅓ tasse 80 ml	jus d'orange
½ c. à thé 2,5 ml	cannelle moulue
1 c. à soupe 15 ml	thym frais

CONSEIL DE CHEF

Votre présence attentive est un gage de réussite de la cuisson de vos mets sur le barbecue. Vous éviterez ainsi de les brûler si des flammes apparaissaient et vous pourrez vérifier leur degré de cuisson régulièrement.

1 Mettre les cubes d'agneau dans un plat creux. Saupoudrer généreusement de poivre et de cumin. Bien mélanger avec une spatule de bois, puis mouiller avec la marinade aux framboises et à la cannelle. Bien mélanger, puis laisser mariner 2-3 heures. Mélanger quelques fois durant le marinage.

2 Enfiler les cubes d'agneau sur des brochettes en alternant avec des cubes de légumes. Réserver les brochettes sur une assiette. Transvider la marinade dans un petit bol. Réserver.

3 Préchauffer le barbecue à feu moyen-élevé. Une fois que le gril fume abondamment, bien gratter la grille pour la nettoyer, puis la huiler. Déposer les brochettes sur le gril, puis les cuire 5-6 minutes de chaque côté (médium-saignant) ou plus selon le degré de cuisson désiré. Tourner les brochettes et les badigeonner de marinade quelques fois durant la cuisson.

4 Retirer les brochettes du gril, puis en servir immédiatement 1-2 par personne. Accompagner d'un riz à la menthe et d'une salade de légumineuses aux tomates. Garnir avec quelques framboises fraîches.

MARINADE AUX FRAMBOISES ET À LA CANNELLE

5 Dans un bol, bien fouetter tous les ingrédients. Réserver.

BROCHETTES D'AGNEAU SUR PITAS, AVEC POIVRONS ET PURÉE CRÉMEUSE À L'AIL GRILLÉ 6 PORTIONS

2,2 lb 1 kg	haut de gigot d'agneau désossé
4 c. à soupe 60 ml	vinaigre de vin rouge
6 c. à soupe 90 ml	huile d'olive
1 c. à soupe 15 ml	herbes de Provence
2	gousses d'ail écrasées
1	feuille de laurier
	Sel et poivre
3	gros poivrons orange ou rouges
6	pitas

PURÉE CRÉMEUSE À L'AIL GRILLÉ

2	bulbes d'ail entiers
⅔ tasse 160 ml	yogourt nature ordinaire (ou à 10 % M.G. pour une purée plus consistante)
⅓ tasse 80 ml	mayonnaise
1 c. à thé 5 ml	sel assaisonné
½ c. à thé 2,5 ml	poivre noir moulu

1. Découper le gigot en gros dés tout en le dégraissant le mieux possible durant l'opération. Mettre les morceaux de viande dans un bol, puis ajouter le vinaigre de vin rouge, l'huile d'olive, les herbes de Provence, l'ail et la feuille de laurier. Saler et poivrer au goût, puis mélanger. Laisser mariner au réfrigérateur 12-48 heures.

2. Préchauffer le barbecue à feu moyen-élevé. Bien gratter la grille, puis la huiler. Enfiler les dés d'agneau sur une dizaine de petites brochettes de bambou (préalablement trempées dans l'eau 30 minutes), puis les réserver sur une grande assiette. Transvider la marinade dans un petit bol. Réserver.

3. Déposer les poivrons sur la grille, puis les griller 7-8 minutes en les tournant fréquemment. Ajouter les brochettes, puis continuer la cuisson 7-8 minutes de plus en tournant tant les brochettes que les poivrons. Il est normal que les poivrons commencent à brûler. Mouiller quelques fois les brochettes avec le reste de la marinade durant le grillage.

4. Retirer les brochettes du gril, puis les réserver enveloppées dans une feuille de papier d'aluminium. Déposer les poivrons dans un sac de papier, puis fermer le sac. Laisser reposer les poivrons 5 minutes, puis les couper en deux, les parer et leur enlever la peau. Réserver les demi-poivrons sur une assiette.

5. Faire griller les pitas 2 minutes de chaque côté sur le gril, puis en déposer un au centre de six assiettes. Déposer sur chaque pita un demi-poivron grillé, puis garnir chacun d'eux de 1-2 brochettes d'agneau. Napper chaque portion d'un peu de purée crémeuse à l'ail grillé. Servir immédiatement. Accompagner d'une salade de tomates et d'oignon, de croustilles et du reste de la purée crémeuse à l'ail grillé.

PURÉE CRÉMEUSE À L'AIL GRILLÉ

6. Préchauffer le barbecue à feu moyen. Bien gratter la grille, puis y déposer les bulbes d'ail. Baisser le feu un peu, puis couvrir presque entièrement. Cuire l'ail environ 30-40 minutes ou jusqu'à ce que la chair soit bien tendre.

7. Retirer les bulbes d'ail du gril, puis faire délicatement une incision dans chaque gousse. Avec les doigts, retirer la chair d'ail de chaque gousse, puis la mettre dans un bol à fond plat. Écraser la pulpe d'ail avec une fourchette, puis ajouter le reste des ingrédients. Bien mélanger. Réserver au réfrigérateur. Excellent comme sauce d'accompagnement avec la viande et le poisson ou comme tartinade servie sur des craquelins.

CÔTELETTES D'AGNEAU AU VINAIGRE BALSAMIQUE GRATINÉES AU CHÈVRE 4 PORTIONS

8	côtelettes d'agneau épaisses légèrement dégraissées
⅓-½ lb 150-227 g	fromage de chèvre coupé en huit rondelles
	Tiges d'herbe fraîche au choix

MARINADE AU VINAIGRE BALSAMIQUE

½ tasse 125 ml	vinaigre balsamique
⅓ tasse 80 ml	feuilles de basilic frais, hachées
2	échalotes sèches hachées finement
	Poivre noir

1. Déposer les côtelettes dans un grand plat, puis les mouiller avec la marinade au vinaigre balsamique. Les retourner pour bien les enrober de marinade. Couvrir, puis laisser mariner 6-12 heures au réfrigérateur. Tourner les côtelettes une fois durant le marinage.
2. Préchauffer le barbecue à feu élevé. Une fois que la grille est bien chaude, la gratter, puis la huiler légèrement. Déposer les côtelettes sur la grille, puis les cuire 5-6 minutes de chaque côté ou selon le degré de cuisson désiré.
3. Trois minutes avant la fin de la cuisson, déposer une rondelle de fromage de chèvre au centre de chaque côtelette. Fermer le couvercle, puis éteindre le feu. Laisser reposer 3-4 minutes ou jusqu'à ce que le fromage soit légèrement fondu. Retirer les côtelettes du gril, puis en servir deux par personne. Garnir chaque portion d'une tige d'herbe fraîche. Accompagner d'une julienne de légumes en papillote et de riz sauvage citronné.

MARINADE AU VINAIGRE BALSAMIQUE

4. Mettre tous les ingrédients dans un bol, puis poivrer généreusement. Bien mélanger, puis réserver au réfrigérateur dans un contenant hermétique.

CÔTELETTES D'AGNEAU À LA MOUTARDE ET AU CÉLERI 4 PORTIONS

8	côtelettes d'agneau légèrement dégraissées
4	petites branches de céleri avec feuilles

MARINADE À LA MOUTARDE ET AU CÉLERI

2 c. à thé 10 ml	graines de moutarde
3 c. à thé 15 ml	graines de céleri
2 c. à thé 10 ml	grains de poivre au choix
2 c. à thé 10 ml	baies de genièvre (facultatif)
1 c. à thé 5 ml	moutarde de Dijon
3 c. à soupe 45 ml	vinaigre de cidre
⅓ tasse 80 ml	huile d'olive

1. Déposer les côtelettes dans un grand plat rectangulaire en verre, puis les mouiller avec la marinade à la moutarde et au céleri. Les tourner pour bien les enrober de marinade. Couvrir, puis réfrigérer 12-24 heures. Tourner la viande une fois durant le marinage.
2. Retirer les côtelettes du réfrigérateur 2 heures avant de les cuire. Les retirer de la marinade, puis les réserver sur une assiette. Transvider la marinade dans un petit bol. Réserver.
3. Préchauffer le barbecue à feu élevé. Une fois que la grille est bien chaude, la nettoyer, puis la huiler légèrement. Déposer les côtelettes sur la grille, puis les cuire 5-6 minutes de chaque côté ou selon le degré de cuisson désiré. Les badigeonner de marinade après les avoir tournées.
4. Retirer les côtelettes du gril, puis en servir immédiatement deux par personne. Garnir chaque portion d'une branche de céleri. Accompagner d'une salade de couscous et d'hoummos.

MARINADE À LA MOUTARDE ET AU CÉLERI

5. Mettre les quatre premiers ingrédients dans un mortier, puis les écraser le plus possible avec un pilon pour en dégager les saveurs. Si vous n'avez pas de mortier, vous pouvez moudre grossièrement les graines avec un moulin à café préalablement nettoyé. Mettre le mélange dans un petit bol, puis ajouter le reste des ingrédients. Mélanger, puis réfrigérer jusqu'au moment d'utiliser.

1996
CHATEAU
HAUT MARSALET
BERGERAC
APPELLATION BERGERAC CONTRÔLÉE
Collection LOUIS ROCHE
MIS EN BOUTEILLE A LA PROPRIÉTÉ

CÔTELETTES D'AGNEAU AU POIVRE 4 PORTIONS

8	côtelettes d'agneau épaisses, parées
	Poivre noir moulu grossièrement
	Sel

MARINADE AU POIVRE

2 c. à soupe 30 ml	sauce soya
1 c. à soupe 15 ml	huile d'olive
1 c. à soupe 15 ml	vinaigre de vin rouge
1 c. à soupe 15 ml	poivre noir fraîchement moulu
1 c. à thé 5 ml	moutarde de Dijon
½ c. à thé 2,5 ml	thym sec
2	gousses d'ail hachées finement
4	échalotes hachées

CONSEIL DE CHEF

Quelques trucs pour cuire des côtelettes d'agneau à la perfection :
- **Tranchez les bords des côtelettes à quelques endroits pour les empêcher d'onduler lors de la cuisson ;**
- **Badigeonnez-les avec de l'huile assaisonnée, puis laissez-les reposer de 2 à 6 heures à la température ambiante ou laissez-les mariner un minimum de 3 heures ;**
- **Grillez-les au four très chaud, sur le barbecue ou dans une poêle antiadhésive avec un minimum d'huile ;**
- **Salez uniquement une fois la viande saisie. Le degré de cuisson des côtelettes est médium-saignant.**

1. Déposer les côtelettes dans un grand plat en pyrex rectangulaire, puis poivrer généreusement chaque côté. Les mouiller avec la marinade au poivre. Les tourner pour bien les enrober de liquide, puis les laisser reposer 1 heure à la température ambiante.

2. Préchauffer le barbecue à feu moyen-élevé. Une fois que la grille est bien chaude, la nettoyer, puis la huiler légèrement. Retirer les côtelettes de la marinade, puis les déposer sur la grille. Les cuire 2-3 minutes de chaque côté. Les saler légèrement et les badigeonner de la marinade contenue dans le plat après les avoir tournées. Retirer les côtelettes du gril, puis en servir deux par personne. Accompagner de couscous aux raisins.

MARINADE AU POIVRE

3. Dans un bol, bien mélanger tous les ingrédients. Réserver.

SALADES IDÉALES POUR PIQUE-NIQUE

Ne contenant aucun produit laitier ou dérivé, ces salades consistantes se conserveront un peu plus longtemps à la température ambiante. Servez-les bien froides.

SALADE PILAF RAFRAÎCHISSANTE

4-6 portions

½ tasse 125 ml	riz sauvage
1 c. à thé 5 ml	sel
5 ½ tasses 1,375 L	eau
2	gousses d'ail écrasées
1 c. à soupe 15 ml	beurre
¼ tasse 60 ml	liqueur à l'anis
1 tasse 250 ml	riz basmati
1 tasse 250 ml	chair de pommes, coupée en petits cubes
1 tasse 250 ml	chair de tomates, coupée en petits cubes
3 c. à soupe 45 ml	persil plat ciselé
2 c. à soupe 30 ml	jus de citron
4 c. à soupe 60 ml	noix de pin grillées
	Huile d'olive
	Sel et poivre

1. Déposer le riz sauvage, le sel et 4 tasses (1 L) d'eau dans une casserole. Porter à ébullition, puis mijoter à feu doux 50 minutes ou jusqu'à ce que le riz soit cuit mais encore légèrement ferme. Retirer la casserole du feu, puis égoutter le riz. Réserver.

2. Dans une casserole, faire revenir l'ail dans le beurre, à feu moyen-doux, 1 minute. Ajouter la liqueur à l'anis, puis laisser bouillir 1 minute. Ajouter le riz basmati et le reste de l'eau. Porter à ébullition, couvrir, puis baisser le feu à doux. Cuire 15 minutes ou jusqu'à ce que l'eau soit évaporée. Il est normal que le riz soit « al dente ».

3. Retirer la casserole du feu. Mélanger le riz, puis le verser dans un grand bol. Ajouter le riz sauvage et le reste des ingrédients, puis bien mélanger. Mouiller avec un peu d'huile, puis saler et poivrer au goût. Mélanger, puis servir.

SALADE DE QUINOA AUX TOMATES

4 portions

½ tasse 125 ml	oignon blanc haché
1 c. à soupe 15 ml	huile d'olive
¼ tasse 60 ml	vin blanc
1 ½ tasse 375 ml	grains de quinoa bien lavés et rincés abondamment
2 tasses 500 ml	bouillon de légumes
1 c. à thé 5 ml	paprika
½ tasse 125 ml	olives en vrac au choix, dénoyautées et tranchées
1 ½ tasse 375 ml	chair de tomates, coupée en petits dés
1	branche de céleri hachée finement
3 c. à soupe 45 ml	vinaigre de cidre
4 c. à soupe 60 ml	huile d'olive
	Sel et poivre

1. Dans une casserole, faire revenir les oignons dans l'huile, à feu moyen, 3 minutes. Ajouter le vin blanc, puis laisser réduire presque à sec. Ajouter le quinoa, le bouillon de légumes et le paprika. Porter à ébullition, puis laisser mijoter, à feu doux, 15 minutes ou jusqu'à ce que le liquide soit évaporé. Retirer la casserole du feu. Couvrir, puis laisser reposer 5 minutes.

2. Transvider le quinoa dans un grand bol. Ajouter le reste des ingrédients, puis saler et poivrer au goût. Bien mélanger, puis réfrigérer jusqu'au moment de servir.

AGNEAU À L'AUSTRALIENNE 6-8 PORTIONS

1	gigot d'agneau désossé d'environ 3 lb (1,3 kg)
	Poivre
	Romarin moulu
3	tomates parées et coupées en petits cubes
1	demi-branche de céleri tranchée
1	panais râpé
6 c. à soupe 90 ml	pâte de tomate
2	gousses d'ail émincées
1 c. à soupe 15 ml	miel liquide
1 c. à soupe 15 ml	menthe fraîche ciselée
	Sel
	Huile d'olive
	Feuilles de romarin frais

1. Assaisonner le gigot de poivre et de romarin moulu de tous les côtés. Le déposer sur une grande assiette, puis le laisser reposer 1-3 heures à la température ambiante.
2. Couper les ficelles qui attachent le gigot, puis l'ouvrir à plat sur une surface de travail. Réserver. Dans un bol, bien mélanger le reste des ingrédients, sauf l'huile et les feuilles de romarin, puis saler généreusement. Étendre cette farce à l'intérieur du gigot, puis le rouler et le ficeler à nouveau. Le badigeonner d'huile, puis le réserver.
3. Préchauffer le barbecue à feu moyen-élevé. Une fois que la grille est bien chaude, la nettoyer, puis la huiler. Déposer le gigot sur la grille du barbecue, puis le saisir 3 minutes de chaque côté. Baisser le feu à moyen (ou de façon à obtenir une cuisson indirecte). Couvrir partiellement, puis cuire 60-80 minutes ou jusqu'au degré de cuisson désiré (l'agneau se mange de préférence rosé). Tourner le gigot quelques fois durant la cuisson.
4. Retirer le gigot du gril, puis le garnir de feuilles de romarin. L'envelopper immédiatement dans une feuille de papier d'aluminium, puis le laisser reposer 10 minutes avant de le trancher. Servir immédiatement. Accompagner de pommes de terre au choix et d'une salade crémeuse de carottes aux kiwis.

LAPIN À LA MOUTARDE FORTE ET AUX AMANDES SUR PLANCHE DE CÈDRE 4 PORTIONS

2	planches de cèdre non traité d'environ ½ po (1,25 cm) d'épaisseur et de 7 po x 10 po (17,5 cm x 25 cm)
⅔ tasse 160 ml	amandes hachées finement
2 c. à soupe 30 ml	moutarde de Meaux ou à l'ancienne
1 c. à soupe 15 ml	moutarde de Dijon
¼ tasse 60 ml	chapelure
3	gousses d'ail hachées finement
1	œuf
	Sel et poivre
	Huile d'olive
1	lapin entier coupé en 6-8 morceaux

CONSEIL DE CHEF

Lors de l'achat des trois ustensiles de base pour la cuisson au barbecue, soit la fourchette, la spatule et la pince, choisissez-les munis de longs manches qui faciliteront la manipulation des ingrédients. Évaluez bien la solidité de la pince, qui est de loin le plus utile des trois ustensiles.

1. Faire tremper les planches de bois dans l'eau 12-24 heures.
2. Préchauffer le barbecue à feu élevé. Pendant ce temps, dans un bol, bien mélanger les amandes, les moutardes, la chapelure, l'ail et l'œuf. Saler et poivrer au goût. Si le mélange est trop sec, ajouter un peu d'huile d'olive. Étendre la garniture sur les morceaux de lapin, puis les réserver sur une assiette.
3. Une fois que la grille est bien chaude, la nettoyer, puis y déposer les planches de bois mouillées. Couvrir. Aussitôt que le bois commence à fumer (5-10 minutes environ), retourner les planches de bois, puis y déposer délicatement les morceaux de lapin. Couvrir, puis baisser le feu à moyen-élevé. Cuire les morceaux de lapin 9-11 minutes, puis les tourner, ainsi que les planches de bois. Continuer la cuisson un autre 9-11 minutes ou jusqu'à ce que la chair du lapin soit cuite (ne pas trop cuire). Si la planche de bois brûle trop vite ou prend légèrement en feu, baisser le feu au minimum, puis l'asperger d'eau avec un vaporisateur.
4. Retirer le lapin du gril, puis en servir 1-2 morceaux par personne. Accompagner de pâtes au pesto et d'une salade de carottes.

LAPIN À LA BIÈRE ET À L'ESTRAGON 4 PORTIONS

1	lapin de 2 lb (900 g) environ, coupé en 6 morceaux

MARINADE À LA BIÈRE ET À L'ESTRAGON

1 tasse 250 ml	bière blonde
4 c. à soupe 60 ml	huile d'olive
4 c. à soupe 60 ml	moutarde de Dijon
2 c. à soupe 30 ml	estragon frais haché
2	gousses d'ail écrasées
1 c. à soupe 15 ml	cassonade
½ c. à thé 2,5 ml	poivre noir moulu grossièrement

1 Mettre les morceaux de lapin dans un grand plat rectangulaire, puis les mouiller avec la marinade à la bière et à l'estragon. Les tourner pour bien les enrober de marinade. Réfrigérer 3-24 heures.

2 Retirer les morceaux de lapin de la marinade, puis les réserver sur une assiette. Transvider la marinade dans un petit bol, puis la réserver.

3 Préchauffer le barbecue à feu élevé. Une fois que la grille est bien chaude, la nettoyer, puis la huiler. Déposer les morceaux de lapin sur la grille, puis les cuire 3 minutes de chaque côté. Baisser le feu à moyen, puis couvrir. Cuire 15-20 minutes de plus ou jusqu'à ce que la chair du lapin soit cuite (ne pas trop cuire). Tourner les morceaux de lapin et les badigeonner de marinade réservée quelques fois durant la cuisson.

4 Retirer le lapin du gril, puis en servir 1-2 morceaux par personne. Accompagner de pâtes aux épinards et au beurre et de carottes cuites à la vapeur.

MARINADE À LA BIÈRE ET À L'ESTRAGON

5 Mettre tous les ingrédients dans un bol, puis bien fouetter. Réserver au réfrigérateur dans un contenant hermétique.

BROCHETTES DE LAPIN AU FENOUIL ET AUX HERBES DE PROVENCE 4 PORTIONS

	Chair d'un lapin d'environ 2,2 lb (1 kg), coupée en grosses bouchées
15	tranches de bacon coupées en deux
1	poivron rouge paré et coupé en carrés
1	concombre anglais coupé en grosses bouchées
8	brochettes de bambou trempées dans l'eau 30 minutes

MARINADE AU FENOUIL ET AUX HERBES DE PROVENCE

3 c. à soupe 45 ml	herbes de Provence
2 c. à soupe 30 ml	feuilles de fenouil frais, ciselées
1 c. à thé 5 ml	moutarde de Dijon
	Jus d'un citron
⅓ tasse 80 ml	huile d'olive
	Sel et poivre

1 Mettre les morceaux de lapin dans un grand sac à fermeture hermétique. Verser la marinade au fenouil et aux herbes de Provence sur le lapin, puis fermer le sac en retirant le plus d'air possible. Réfrigérer 4-24 heures.

2 Retirer le sac du réfrigérateur. Enrouler chaque tranche de bacon autour d'une bouchée de lapin, puis monter les brochettes en alternant les morceaux de lapin, les carrés de poivron et les morceaux de concombre.

3 Préchauffer le barbecue à feu moyen. Une fois que la grille est bien chaude, la nettoyer, puis la huiler. Déposer les brochettes sur la grille, puis les cuire 7-8 minutes de chaque côté ou jusqu'au degré de cuisson désiré (ne pas trop cuire).

4 Retirer les brochettes du gril, puis en servir deux par personne. Accompagner de pâtes à l'huile et au persil.

MARINADE AU FENOUIL ET AUX HERBES DE PROVENCE

5 Dans un bol, bien fouetter tous les ingrédients. Saler et poivrer au goût. Réserver au réfrigérateur dans un contenant hermétique.

Grillades de viandes sauvages et exotiques

RÔTI DE SANGLIER GRILLÉ 6 PORTIONS

2 ⅔ lb 1,2 kg	**rôti de sanglier désossé**
	Sel et poivre
	Poudre d'ail
	Graines de céleri

SAUCE AU MIEL ET AU CITRON

⅔ tasse 160 ml	**miel liquide**
⅖ tasse 100 ml	**jus de citron**
1 c. à thé 5 ml	**clou de girofle moulu**
3 c. à soupe 45 ml	**sauce soya**

1 Saler et poivrer le rôti, puis l'assaisonner au goût de poudre d'ail et de graines de céleri. Taper la chair des mains pour bien y imprégner les assaisonnements. Le réserver 1 heure à la température ambiante.

2 Préchauffer le barbecue à feu moyen-élevé, puis bien gratter la grille une fois qu'elle fume abondamment. Déposer le rôti sur le grille, puis le saisir une dizaine de minutes au total de tous les côtés. Lorsque la pièce est bien colorée, baisser le feu à moyen-doux, puis continuer la cuisson 65-75 minutes en couvrant presque entièrement. Tourner la viande à quelques reprises durant le grillage. Badigeonner le rôti de la sauce au miel et au citron à quelques reprises durant la deuxième moitié de la cuisson. S'assurer que la chair n'est que légèrement rosée avant de retirer le rôti du gril.

3 Retirer le rôti du gril et le déposer sur une planche de travail. Le couvrir d'une feuille de papier d'aluminium. Laisser reposer le rôti 10 minutes avant de le trancher. Disposer les tranches dans une grande assiette de service. Accompagner du reste de la sauce au miel et au citron, d'une macédoine de légumes et d'une salade de macaroni.

SAUCE AU MIEL ET AU CITRON

4 Dans un bol, bien mélanger tous les ingrédients. Réserver pour badigeonner la viande durant la cuisson. Excellent aussi comme sauce d'accompagnement.

FILET DE BISON GRILLÉ À L'ÉRABLE 4 PORTIONS

1	filet de bison d'environ 1 ⅓ lb (600 g)
	Poivre

SAUCE AU SIROP D'ÉRABLE

3 c. à soupe 45 ml	beurre
2 c. à soupe 30 ml	échalotes sèches hachées finement
⅔ tasse 160 ml	vin rouge
6 c. à soupe 90 ml	sirop d'érable
1 tasse 250 ml	fond de veau ou demi-glace
4 c. à soupe 60 ml	crème 35 %
	Sel et poivre

1 Bien poivrer le filet de bison. Préchauffer le barbecue à feu moyen-élevé, puis bien gratter la grille une fois qu'elle fume abondamment. Déposer le filet de bison sur la grille huilée du barbecue et le cuire 15-20 minutes ou plus selon la cuisson désirée. Le tourner à quelques reprises durant la cuisson. Attention de ne pas trop le cuire.

2 Verser un bon fond de sauce au sirop d'érable dans une assiette de service ovale. Y déposer le filet de bison qui aura préalablement été coupé en tranches. Servir immédiatement et accompagner de brocoli étuvé et de pommes de terre sucrées cuites au barbecue.

SAUCE AU SIROP D'ÉRABLE

3 Dans une petite casserole, faire revenir les échalotes dans le beurre, à feu moyen, en brassant 2 minutes. Déglacer avec le vin. Réduire de moitié en brassant à quelques reprises.

4 Incorporer le sirop d'érable, le fond de veau et la crème. Assaisonner selon les goûts de sel et de poivre. Bien mélanger et laisser mijoter jusqu'à l'obtention d'une belle sauce onctueuse. Retirer du feu et servir comme sauce d'accompagnement pour les viandes rouges.

CONSEIL DE CHEF

Le beurre se présente sous différentes appellations. Le beurre baratté est le beurre traditionnel ; il est offert en trois teneurs distinctes en sel : le beurre salé contient 2 % de sel, le demi-sel 1 % et le beurre sans sel… n'en contient pas ! Le beurre de culture est fait de crème à laquelle on a ajouté une culture bactérienne; cela lui donne un goût distinct et délicat. Le beurre léger contient au moins 25 % de matières grasses de moins que le beurre ordinaire. Il n'est pas recommandé pour la cuisson, les sauces ou les préparations qui demandent une grande quantité de gras. Le beurre aromatisé est un beurre salé auquel on a ajouté des épices, des condiments ou des herbes.

BROCHETTES DE BISON AUX ABRICOTS 4 PORTIONS

1⅔-2 lb 750-900 g	cubes de viande de bison
4	abricots dénoyautés et coupés en gros cubes

MARINADE AUX ABRICOTS

⅓ tasse 80 ml	huile d'olive
4 c. à soupe 60 ml	vinaigre de cidre
4 c. à soupe 60 ml	confiture d'abricots
1 c. à soupe 15 ml	flocons d'oignon déshydratés
2 c. à soupe 30 ml	coriandre fraîche hachée
	Sel et poivre

CONSEIL DE CHEF

Les boutiques spécialisées en accessoires pour le barbecue vendent plusieurs gadgets et autres produits connexes qui vous permettront de renouveler vos techniques de cuisson et vous donneront de nouvelles idées. N'hésitez pas à consulter les Pages jaunes et à visiter le détaillant le plus près de chez vous. Vous serez surpris de ce que vous y dénicherez !

1 Mettre les cubes de bison dans un bol moyen, puis les mouiller avec la marinade aux abricots. Mélanger, puis couvrir. Laisser reposer 4-8 heures au réfrigérateur.

2 Préchauffer le barbecue à feu moyen-élevé. Bien huiler la grille. Enfiler les cubes de viande sur des brochettes en alternant avec des cubes d'abricots. Déposer les brochettes de bison sur le gril et les cuire une dizaine de minutes au total pour une cuisson saignante. Les tourner et les badigeonner de la marinade aux abricots à quelques reprises durant la cuisson.

3 Retirer les brochettes du gril et en servir 1-2 par personne. Accompagner d'une salade de radicchio et d'endives aux noix ainsi que de pâtes aux pommes et à l'ail.

MARINADE AUX ABRICOTS

4 Dans un bol, bien mélanger tous les ingrédients. Couvrir et réchauffer 30 secondes au micro-ondes. Mélanger de nouveau et utiliser immédiatement, sinon couvrir et réserver au réfrigérateur.

STEAKS DE FILET DE CHEVREUIL, SAUCE AIGRE-DOUCE 4 PORTIONS

1 ⅓ lb 600 g	filet de chevreuil coupé en médaillons
1 c. à soupe 15 ml	huile végétale
	Sel et poivre
2	pommes pelées, parées et coupées en quartiers
	Beurre

SAUCE AIGRE-DOUCE

2	échalotes sèches hachées
1 c. à soupe 15 ml	huile végétale
⅘ tasse 200 ml	xérès
⅖ tasse 100 ml	gelée de groseille
1 c. à soupe 15 ml	gingembre frais haché
	Sel et poivre du moulin
	Jus et zeste râpé d'une orange
	Jus et zeste râpé d'un citron
	Sel et poivre

CONSEIL DE CHEF

Voici une méthode très simple pour vérifier si votre barbecue au gaz fuit. Ouvrez d'abord le gaz, puis allumez le barbecue. Badigeonnez le joint entre la bonbonne et le boyau conducteur, le boyau ainsi que le joint entre le boyau et les brûleurs avec un pinceau préalablement trempé dans de l'eau savonneuse. Si vous voyez des bulles, c'est qu'il y a une fuite de gaz. Corrigez la situation en resserrant les joints, ou encore en consultant un spécialiste.

1. Poivrer les médaillons de filet de chevreuil et les badigeonner d'huile végétale. Préchauffer le barbecue à feu moyen-élevé, puis bien gratter la grille une fois qu'elle fume abondamment. Déposer les médaillons sur la grille du barbecue, puis les saisir 5 minutes de chaque côté. Les saler une fois la cuisson commencée. Ne pas trop cuire les médaillons de chevreuil car le degré de cuisson idéal est médium-saignant.

2. Les retirer du gril, puis les servir en portions individuelles déposées sur un fond de sauce aigre-douce. Accompagner de quartiers de pommes sautées dans le beurre quelques minutes et de pâtes aux épinards.

SAUCE AIGRE-DOUCE

3. Dans une petite casserole, faire sauter les échalotes dans l'huile, à feu moyen, en brassant 2 minutes. Déglacer au xérès. Incorporer le reste des ingrédients, sauf les zestes râpés, et bien mélanger.

4. Porter à ébullition. Saler et poivrer au goût. Baisser le feu et laisser mijoter 10 minutes. Passer la sauce au tamis, puis y ajouter les zestes râpés. Servir immédiatement ou réserver au chaud.

ROULADES D'AUTRUCHE GRILLÉES AU CHEDDAR, SAUCE AUX POMMES 4 PORTIONS

4	escalopes d'autruche de ¼ lb (115 g) chacune
	Tranches d'autruche fumée ou autre viande fumée
¼ lb 115 g	fromage cheddar doux râpé
	Sel et poivre

SAUCE AUX POMMES

1	pomme verte parée
	Jus d'un citron
	Beurre
⅘ tasse 200 ml	jus de pomme
⅖ tasse 100 ml	sauce demi-glace ou consommé de bœuf
	Sel et poivre

CONSEIL DE CHEF
Un barbecue couvert cuira les mets de 20 % à 25 % plus vite que lorsqu'il est ouvert. Mais la vigilance est de mise, car loin des yeux, près du feu !

1 Déposer les escalopes d'autruche sur du papier sulfurisé et les aplanir à l'aide d'un maillet en escalopes plus minces. Disposer quelques tranches d'autruche fumée sur chaque escalope, puis recouvrir de fromage râpé. Rouler les escalopes bien serrées et sceller les extrémités avec de la petite ficelle ou des cure-dents. Les saler et les poivrer selon les goûts. Préchauffer le barbecue à feu moyen, puis bien gratter la grille une fois qu'elle fume abondamment. Bien huiler la grille. Déposer les roulades d'autruche sur la grille du barbecue, puis les griller 8-9 minutes au total en les tournant à quelques reprises.

2 Retirer les roulades du barbecue et les trancher. Pour monter chaque portion, déposer l'équivalent d'une roulade tranchée sur un fond de sauce aux pommes. Accompagner de légumes étuvés et de riz aux herbes fraîches.

SAUCE AUX POMMES

3 Couper les pommes en tranches minces. Les asperger de jus de citron. Réserver. Dans une poêle, faire revenir très délicatement les tranches de pomme dans un peu de beurre à feu moyen.

4 Incorporer le jus de pomme et réduire de moitié. Ajouter la sauce demi-glace. Porter à ébullition et assaisonner selon les goûts de sel et de poivre. Baisser le feu et laisser mijoter 2 minutes. Retirer du feu et réserver au chaud.

STEAKS D'AUTRUCHE AU VINAIGRE BALSAMIQUE ET AU MIEL 4 PORTIONS

4	steaks ou tranches de cuisses d'autruche ou d'émeu, désossés, d'environ 5 oz (140 g) chacun
½ tasse 125 ml	vinaigre balsamique
4 c. à soupe 60 ml	miel liquide, réchauffé
4 c. à soupe 60 ml	huile d'olive
2 c. à soupe 30 ml	basilic frais haché
1 c. à thé 5 ml	moutarde sèche

1 Déposer les steaks dans un plat en verre. Réserver.

2 Dans un bol, fouetter le reste des ingrédients. Verser cette marinade sur les steaks et laisser reposer 3-4 heures. Tourner les steaks une seule fois.

3 Préchauffer le barbecue à feu moyen-élevé, puis bien gratter la grille. Déposer les steaks sur la grille du barbecue, puis les saisir 4-5 minutes de chaque côté (pour une cuisson saignante). Badigeonner du reste de la marinade durant la cuisson.

4 Servir immédiatement un steak grillé par portion sur un léger fond du reste de la marinade préalablement bouillie quelques minutes. Accompagner de pommes de terre pilées au roquefort et de haricots verts étuvés.

CONSEIL DE CHEF

On trouve une grande variété de vinaigres balsamiques sur le marché. La qualité varie en fonction de l'âge du produit et des conditions d'entreposage (fût de chêne, etc.). N'hésitez pas à en essayer plusieurs et même à les comparer. Bien qu'il existe de nombreuses imitations, seul le vinaigre balsamique portant la mention « vinaigre balsamique de Modène » est authentique. Pour en apprécier toute la saveur, trempez-y simplement un bout de pain ou de légume frais ou déposez-en quelques gouttes sur un peu de crème glacée à la vanille. Un délice !

TOURNEDOS D'ÉMEU AU CIDRE ET À LA SAUCE AUX POMMES 4 PORTIONS

1 ⅔-1 ¾ lb 750-800 g	tournedos ou médaillons de cuisses d'émeu ou d'autruche, désossés (1-2 par portion selon la grosseur disponible)
1 tasse 250 ml	cidre au choix
½ c. à thé 2,5 ml	gingembre moulu
1 c. à thé 5 ml	cerfeuil sec
2	feuilles de laurier écrasées
	Sel et poivre
½ tasse 125 ml	sauce aux pommes (ou purée)

1 Déposer les tournedos dans un plat en verre. Réserver. Dans un petit bol, bien fouetter le cidre avec le gingembre, le cerfeuil et les feuilles de laurier. Poivrer selon les goûts. Verser cette marinade sur les tournedos, puis couvrir. Laisser mariner 4-12 heures au réfrigérateur selon les goûts et le temps disponible. Tourner la viande une seule fois.

2 Préchauffer le barbecue à feu élevé, puis bien gratter la grille. Retirer les tournedos du plat et les déposer sur une assiette de service. Verser le reste de la marinade dans un petit bol et y incorporer la sauce aux pommes. Saler selon les goûts. Bien mélanger. Badigeonner généreusement les tournedos de cette nouvelle sauce.

3 Déposer les tournedos sur la grille bien huilée du barbecue et les saisir 2 minutes de chaque côté. Baisser le feu un peu et continuer la cuisson 2 minutes de plus de chaque côté pour un degré de cuisson médium-saignant. Badigeonner régulièrement la viande de sauce aux pommes durant la cuisson.

4 Retirer les tournedos du barbecue et servir immédiatement. Accompagner de spaghettini au persil, d'une julienne de poivrons et du reste de la sauce aux pommes.

CUISSES DE GRENOUILLES AU CITRON ET AU CUMIN 4 PORTIONS

2 lb 900 g	cuisses de grenouilles
	Farine non blanchie

MARINADE AU CITRON ET AU CUMIN

⅓ tasse 80 ml	huile d'olive
⅓ tasse 80 ml	jus de citron
2 c. à thé 10 ml	cumin moulu
½ c. à thé 2,5 ml	moutarde sèche
2	gousses d'ail hachées
2 c. à soupe 30 ml	persil frais ciselé
	Sel et poivre

CONSEIL DE CHEF

Pour faire cuire de petits aliments sur le gril, comme des légumes, certains fruits de mer (pétoncles, crevettes, etc.) et des cuisses de grenouilles, il est possible d'utiliser des paniers à charnières (plaque trouée à paroi surélevée) pour bien les retenir. Certains de ces paniers sont également conçus pour la cuisson des poissons.

1. Mettre les cuisses de grenouilles dans un grand sac hermétique à congélation, puis les mouiller avec la marinade au citron et au cumin. Sceller le sac en retirant le plus d'air possible, puis les laisser mariner 4-6 heures au réfrigérateur.
2. Retirer les cuisses de la marinade et les déposer dans une assiette de service. Saupoudrer chaque côté des cuisses de grenouilles d'un peu de farine.
3. Préchauffer le barbecue à feu moyen, puis bien gratter la grille. Déposer les cuisses de grenouilles sur le gril et les griller pas plus de 3 minutes de chaque côté. On peut aussi utiliser une plaque trouée à barbecue pour faciliter la cuisson. Ne pas trop cuire les cuisses de grenouilles, car elles deviendront dures et caoutchouteuses. Les badigeonner de la marinade au citron et au cumin durant le grillage.
4. Retirer les cuisses de grenouilles du gril et les servir immédiatement. Accompagner de riz aux légumes et d'une salade César.

MARINADE AU CITRON ET AU CUMIN

5. Dans un bol, bien mélanger tous les ingrédients. Couvrir et réserver au réfrigérateur.

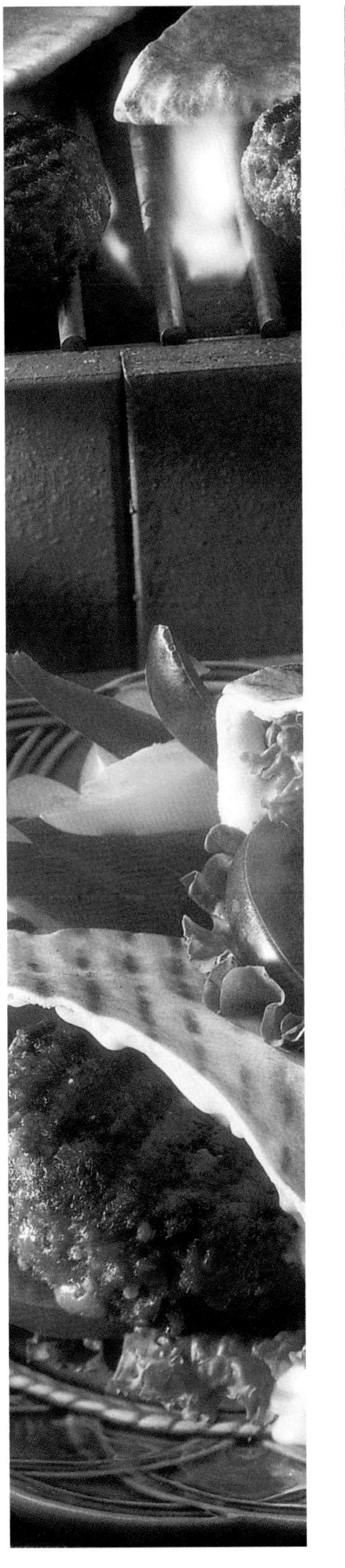

Burgers et sandwichs

HAMBURGERS AUX TROIS FROMAGES 6 PORTIONS

1 ⅓ lb 600 g	boeuf haché maigre
½ tasse 125 ml	fromage emmental râpé
½ tasse 125 ml	fromage cheddar râpé
½ tasse 125 ml	fromage havarti ou mozzarella râpé
2 c. à soupe 30 ml	moutarde de Dijon
3	échalotes vertes tranchées finement
6	pains à hamburger
	Condiments au choix

CONSEIL DE CHEF

Lorsque vous confectionnez des boulettes ou des galettes de viande ou de volaille hachée, mouillez vos mains fréquemment durant l'opération. La viande n'y collera pas et se manipulera plus facilement.

1 Dans un bol, bien mélanger tous les ingrédients, sauf les pains et les condiments, avec les mains. Former six boulettes avec le mélange en trempant occasionnellement les mains dans l'eau pour empêcher la viande d'y adhérer. Réserver les galettes au réfrigérateur sur une grande assiette huilée. Vous pouvez aussi confectionner douze galettes minces, déposer sur le dessus de six d'entre elles les fromages préalablement mélangés, puis les recouvrir avec les autres galettes. Sceller le pourtour des galettes doubles en pressant fermement la viande entre les doigts.

2 Préchauffer le barbecue à feu moyen-élevé. Une fois que la grille est bien chaude, la nettoyer, puis la huiler généreusement. Baisser le feu à moyen, puis déposer les galettes sur la grille. Les cuire 7-8 minutes de chaque côté ou jusqu'à ce que la viande ne soit plus rosée. Ne tourner les galettes qu'une seule fois. Deux minutes avant la fin de la cuisson, mettre les pains sur la grille pour les dorer.

3 Déposer une galette dans chaque pain, puis servir les hamburgers immédiatement. Garnir de vos condiments préférés.

PITAS BURGERS 4-6 PORTIONS

1 lb 454 g	bœuf haché maigre
¼ tasse 60 ml	noix de Grenoble hachées
10	olives farcies tranchées finement
6	biscuits soda écrasés
2	œufs
2	gousses d'ail écrasées
1 c. à soupe 15 ml	flocons d'oignon déshydratés
1 c. à thé 5 ml	curcuma
1 c. à thé 5 ml	cumin moulu
3	pitas coupés en deux
	Sel et poivre
	Feuilles de laitue
	Tranches de tomates

SAUCE ITALIENNE CRÉMEUSE

⅓ tasse 80 ml	vinaigrette italienne
2 c. à soupe 30 ml	mayonnaise

CONSEIL DE CHEF

Ne laissez jamais les enfants jouer autour d'un barbecue en marche. Ils pourraient se brûler très sérieusement au seul contact d'un appareil chaud ou recevoir des éclaboussures provenant de la combustion du gras des viandes.

1 Dans un bol, mettre tous les ingrédients, sauf la laitue, les tomates et les pitas, puis saler et poivrer au goût. Bien mélanger avec les mains. Former six galettes avec le mélange en trempant occasionnellement les mains dans l'eau pour empêcher la viande d'y adhérer. Réserver les galettes au réfrigérateur sur une grande assiette huilée.

2 Préchauffer le barbecue à feu moyen-élevé. Une fois que la grille est bien chaude, la nettoyer, puis la huiler. Déposer les galettes sur la grille, puis les cuire 7-8 minutes de chaque côté ou jusqu'à ce que la viande ne soit plus rosée. Ne tourner les galettes qu'une seule fois.

3 Réchauffer les demi-pitas sur le gril 1-2 minutes de chaque côté. Retirer les galettes et les pitas du gril. Badigeonner l'intérieur des demi-pitas avec de la sauce italienne crémeuse, puis y insérer une croquette. Garnir chaque demi-pita de feuilles de laitue et de tranches de tomates. Servir 1-2 demi-pitas par personne. Accompagner de crudités et de croustilles.

SAUCE ITALIENNE CRÉMEUSE

4 Dans un bol, bien fouetter la vinaigrette et la mayonnaise. Réserver au réfrigérateur.

SUPER BURGERS DE LUXE AU BLEU 4 PORTIONS

1 ⅓ lb 600 g	bœuf haché maigre
⅓ lb 150 g	fromage bleu en petits morceaux
4	pains à hamburger
	Moutarde de Dijon
	Mayonnaise (facultatif)
1 tasse 250 ml	champignons tranchés sautés dans le beurre

CONSEIL DE CHEF

Si vous faites un pique-nique, conservez toujours vos aliments dans un endroit frais : glacière, boîte à lunch avec bloc frigorifique, cubes de glace mis dans des sacs hermétiques.
Pour maximiser la fraîcheur et la saveur de vos mets, assemblez toujours le repas à la dernière minute. À titre d'exemple, montez vos sandwichs sur place pour que les tranches de pain ne soient pas molles et ajoutez la vinaigrette à vos salades à la dernière minute. Utilisez différentes grandeurs de contenants hermétiques pour transporter tous vos aliments afin de faciliter cette opération.

1 Séparer la viande en huit portions égales. Confectionner quatre galettes minces mais assez grandes avec la moitié de la viande, puis les déposer sur une grande assiette huilée. Répartir le fromage sur le dessus des quatre galettes, puis le presser légèrement et délicatement avec les doigts pour le faire pénétrer un peu dans le bœuf.

2 Former quatre autres grandes galettes avec le reste de la viande, puis les déposer sur les premières. Bien presser le pourtour de chaque galette double avec les doigts pour les faire adhérer ensemble. Réserver les galettes au réfrigérateur.

3 Préchauffer le barbecue à feu moyen-élevé. Une fois que la grille est bien chaude, la nettoyer, puis la huiler. Déposer les galettes sur la grille, puis les cuire 7-8 minutes de chaque côté ou jusqu'à ce que la viande ne soit plus rosée. Ne tourner les galettes qu'une seule fois. Deux minutes avant la fin de la cuisson, griller les pains à hamburger.

4 Retirer les pains du gril. Les badigeonner de moutarde de Dijon et de mayonnaise au goût, puis y insérer les galettes au bleu. Garnir chaque galette de champignons sautés dans le beurre. Servir immédiatement.

HAMBURGERS D'AGNEAU ET DE KIWI À LA SALSA À L'AIL RÔTI 4 PORTIONS

1 lb 454 g	agneau haché maigre
2	petits kiwis mûrs, pelés et écrasés
1	œuf battu
	Poivre
4	pains à hamburger

SALSA À L'AIL RÔTI

4	gousses d'ail hachées finement
2 c. à soupe 30 ml	huile
1	boîte de 19 oz (540 ml) de tomates en dés, égouttées
4	échalotes vertes tranchées finement
	Jus d'une demi-lime
1	poivron vert paré et haché
2 c. à thé 10 ml	poudre de chili
½ c. à thé 2,5 ml	cumin moulu
½ c. à thé 2,5 ml	coriandre moulue

CONSEIL DE CHEF

Pour vous faciliter la vie lorsque vous faites des salsas et des bruschettas, remplacez les tomates fraîches, qui demandent parfois d'être épépinées et même pelées, par des tomates en dés, en boîte, bien égouttées.

1. Mettre les trois premiers ingrédients dans un bol, puis poivrer au goût. Bien mélanger. Former quatre galettes avec le mélange en trempant occasionnellement les mains dans l'eau pour empêcher la viande d'y adhérer. Réserver les galettes sur une grande assiette huilée au réfrigérateur.
2. Préchauffer le barbecue à feu moyen-élevé. Une fois que la grille est bien chaude, la nettoyer, puis la huiler. Déposer les galettes sur la grille, puis les cuire 7-8 minutes de chaque côté ou jusqu'à ce que la viande ne soit plus rosée. Ne tourner les galettes qu'une seule fois. Deux minutes avant la fin de la cuisson, griller les pains.
3. Retirer les pains du gril, puis y insérer les galettes. Garnir chaque galette de salsa à l'ail rôti au goût, puis servir les hamburgers immédiatement. Accompagner de croustilles de tortillas.

SALSA À L'AIL RÔTI

4. Dans une poêle antiadhésive, faire chauffer l'huile à feu moyen. Ajouter l'ail, puis le cuire en brassant continuellement jusqu'à ce qu'il soit brun doré. Ne pas trop cuire l'ail; s'il est brun foncé ou noir, il sera âcre.
5. Transvider l'ail dans un bol. Ajouter le reste des ingrédients, puis bien mélanger. Réfrigérer au moins 3 heures pour laisser le temps aux saveurs de se développer. Servir comme sauce d'accompagnement pour les hamburgers, les croustilles de tortillas, etc.

HAMBURGERS GÉANTS AUX PÊCHES ET AU CHEDDAR 4 PORTIONS

1 lb 454 g	porc haché maigre
2	gousses d'ail hachées finement
½ c. à thé 2,5 ml	épices à steak
⅔ tasse 160 ml	pêches en boîte, égouttées et coupées en petits cubes
2	œufs battus
⅔ tasse 160 ml	fromage cheddar coupé en petits cubes
	Poivre du moulin
4	grands pains à hamburger
	Fromage cottage
	Tranches de tomates
	Feuilles de laitue

1 Mettre le porc, l'ail, les épices, les pêches, les œufs et le fromage dans un grand bol, puis poivrer au goût. Bien mélanger avec les mains. Former quatre grandes galettes avec le mélange en trempant occasionnellement les mains dans l'eau pour empêcher la viande d'y adhérer. Réserver les galettes sur une grande assiette huilée, puis les mettre au réfrigérateur.

2 Préchauffer le barbecue à feu moyen-élevé. Une fois que la grille est bien chaude, la nettoyer, puis la huiler. Baisser le feu à moyen. Déposer les galettes sur la grille, puis couvrir partiellement. Les cuire 6-8 minutes de chaque côté ou jusqu'à ce que la viande ne soit plus rosée. Ne tourner les galettes qu'une seule fois. Deux minutes avant la fin de la cuisson, griller les pains à hamburger.

3 Retirer les pains du gril, puis y insérer les galettes. Garnir chaque galette de fromage cottage, de tranches de tomates et de feuilles de laitue, puis servir un hamburger géant par personne. Accompagner de croustilles et d'une salade crémeuse de concombre. Décorer de quartiers de pêches fraîches.

CONSEIL DE CHEF

Ne laissez jamais trop longtemps à la température de la pièce les sauces ou les mets contenant des produits laitiers, les viandes ou les volailles non cuites, les œufs (mayonnaise, vinaigrette, salade de pommes de terre, etc.) afin d'éviter toute possibilité d'empoisonnement alimentaire. Pour la même raison, ne laissez jamais décongeler des viandes hachées à la température ambiante ; décongelez-les au réfrigérateur ou au micro-ondes, par intervalles.

BURGERS-HOT DOGS AU PORC ET AUX OIGNONS GRILLÉS 4-6 PORTIONS

1	gros oignon espagnol pelé, puis coupé en quatre
	Sel et poivre
	Huile d'olive
1 ⅔ lb 750 g	porc maigre haché
4 c. à soupe 60 ml	purée de pommes
½ tasse 125 ml	chapelure
1 c. à soupe 15 ml	flocons d'oignon déshydratés
1	grosse gousse d'ail écrasée
2 c. à soupe 30 ml	persil frais ciselé
1 c. à thé 5 ml	cumin moulu
1	gros œuf
8	grands pains à hot dog
	Condiments au choix (moutarde, ketchup, relish, tomates, etc.)

1 Piquer les quartiers d'oignon sur une brochette, puis saler et poivrer au goût. Mouiller avec de l'huile d'olive, puis réserver.

2 Mettre le reste des ingrédients, sauf les pains et les condiments, dans un grand bol, puis bien mélanger le tout avec les mains. Façonner des cylindres de 6 po de long (15 cm) avec le mélange de viande en vous trempant fréquemment les mains dans l'eau chaude pour faciliter l'opération. Déposer les cylindres sur une grande assiette huilée, puis les tourner pour les enrober d'huile. Les saler et les poivrer au goût, puis les réserver au réfrigérateur.

3 Préchauffer le barbecue à feu moyen. Une fois que la grille est bien chaude, la nettoyer, puis la huiler. Déposer la brochette d'oignon sur la grille. Couvrir, puis cuire 8 minutes. Tourner la brochette quelques fois durant la cuisson.

4 Ajouter délicatement les cylindres de porc sur la grille. Cuire les deux aliments 8-10 minutes au total en les tournant quelques fois durant la cuisson. Quelques minutes avant la fin de la cuisson, ajouter les pains à hot dog sur la grille pour les dorer.

5 Retirer la brochette d'oignon du gril, la désenfiler, puis trancher les quartiers finement. Retirer les pains du barbecue, puis insérer un cylindre de viande à l'intérieur de chaque pain. Garnir généreusement chaque burger-hot dog d'oignon grillé et de vos condiments favoris. Accompagner d'une salade de pommes de terre aux pommes.

BURGERS DE POULET FARCIS AU BRIE ET AUX TOMATES SÉCHÉES À L'ARÔME DE PESTO 4 BURGERS

1,1 lb 500 g	poulet ou dinde haché
4	carrés de fromage brie de 2 po x ½ po d'épaisseur (5 cm x 1 cm)
3 c. à soupe 45 ml	tomates séchées dans l'huile, hachées finement
	Sel et poivre
	Poudre d'ail
4	gros pains à hamburger aux graines de sésame
	Pesto au choix
	Tranches de tomates
	Feuilles de laitue

1 Avec les mains, former huit galettes minces avec la volaille hachée, puis les réserver sur deux assiettes légèrement huilées. Déposer un carré de fromage au centre des quatre galettes. Garnir chaque carré de tomates séchées. Recouvrir chaque galette garnie d'une autre, le côté non huilé par-dessus la garniture, puis bien les sceller en pressant les bords ensemble. Les retourner pour les enrober d'huile, puis les assaisonner au goût de sel, de poivre et de poudre d'ail.

2 Préchauffer le barbecue à feu moyen. Bien gratter la grille, puis y déposer délicatement les galettes de viande. Les cuire 6-7 minutes de chaque côté ou jusqu'à ce que la chair ne soit plus rosée. Les retourner délicatement une seule fois. Quelques minutes avant la fin de la cuisson, ajouter les pains sur le gril pour les dorer.

3 Retirer les pains et les galettes du barbecue. Ouvrir les pains, puis badigeonner généreusement la partie inférieure de pesto. Insérer une galette dans chaque pain, puis garnir de tranches de tomates et de feuilles de laitue. Refermer les pains, puis servir immédiatement. Accompagner de croustilles au choix.

CONSEIL DE CHEF

Bien que l'on recommande de bien cuire les hamburgers pour éviter les intoxications alimentaires, rappelez-vous qu'une cuisson à feu moyen d'une durée totale de 12 à 14 minutes pour une galette de grosseur moyenne (4 oz (115 g)), bien aplatie, devrait largement faire l'affaire. Couvrez-les partiellement, puis cuisez-les. Essayez de ne les retourner qu'une fois à la mi-cuisson. Si vous cuisez vos galettes de 15 à 20 minutes, elles seront beaucoup trop cuites et, donc, sèches et fades ! Utilisez votre bon sens.

ROULEAUX CRÉMEUX AU POULET ET AU CITRON 4-6 PORTIONS

1 c. à soupe 15 ml	**beurre**
1 c. à soupe 15 ml	**huile d'olive**
2	**blancs de poireaux moyens, lavés, puis hachés**
2 c. à thé 10 ml	**graines d'aneth**
½ c. à thé 2,5 ml	**romarin moulu**
1 c. à thé 5 ml	**origan moulu**
1	**gousse d'ail écrasée**
1 lb 454 g	**poitrine de poulet désossée, sans peau, coupée en dés**
1	**boîte de 19 oz (540 ml) de haricots blancs, égouttés**
4	**filets d'anchois**
½ tasse 125 ml	**jus de citron**
	Sel et poivre
	Tortillas de 10 po (25 cm)

1 Dans une poêle, faire pétiller le beurre et l'huile à feu moyen. Ajouter les poireaux, les graines d'aneth, le romarin, l'origan et l'ail. Faire revenir jusqu'à ce que les poireaux soient transparents. Ajouter le poulet, puis cuire, en brassant à l'occasion, jusqu'à ce que la chair du poulet ne soit plus rosée. Retirer la poêle du feu, puis transvider son contenu dans un robot culinaire.

2 Ajouter le reste des ingrédients, sauf le jus de citron et les tortillas. Réduire le tout en ajoutant juste assez de jus de citron pour obtenir une consistance de tartinade lisse et épaisse. Saler et poivrer au goût, puis mélanger.

3 Étendre également la tartinade sur des tortillas, puis les rouler. Envelopper chaque rouleau dans une pellicule de plastique, puis les réfrigérer quelques heures. Au moment de servir, couper les tortillas en tranches obliques d'environ ½ po (1 cm) d'épaisseur, puis servir. Accompagner d'une vinaigrette crémeuse ou de crème sure.

SANDWICH AU ROSBIF ET AUX OIGNONS CARAMÉLISÉS 4 PORTIONS

8	tranches de pain croûté au choix
12 oz 340 g	rosbif tranché finement
	Oignons caramélisés, confits ou confiture d'oignons
	Roquette

SAUCE À LA MOUTARDE ET AU RAIFORT

½ tasse 125 ml	mayonnaise
4 c. à thé 20 ml	moutarde de Dijon
2 c. à thé 10 ml	raifort préparé
1 c. à thé 5 ml	sel de mer
½ c. à thé 2,5 ml	poudre d'ail

CONSEIL DE CHEF **Il n'est pas nécessaire de tartiner de beurre l'intérieur de votre pain avant de monter vos sandwichs si vous les mangez dans les deux heures qui suivent ; c'est une habitude coûteuse en calories et en gras. Par contre, si vous prévoyez les consommer dans les prochaines 24 heures, il est avantageux de le faire pour sceller le pain et éviter que l'humidité le détrempe.**

1 Badigeonner généreusement l'intérieur des huit tranches de pain de sauce à la moutarde et au raifort. Répartir le rosbif sur quatre des tranches de pain, puis garnir au goût d'oignons caramélisés et de feuilles de roquette. Recouvrir des quatre autres tranches de pain. Trancher en deux diagonalement, puis servir immédiatement. Accompagner d'une salade de tomates et de concombre à l'ail.

SAUCE À LA MOUTARDE ET AU RAIFORT

2 Mettre tous les ingrédients dans un bol, puis bien mélanger. Réserver au réfrigérateur jusqu'au moment de servir.

SAUCES PASSE-PARTOUT À SANDWICHS

SAUCE EXPRESS

½ tasse (125 ml)

½ tasse 125 ml	mayonnaise
1 c. à soupe 15 ml	jus de citron
½ c. à thé 2,5 ml	basilic sec

1 Mettre tous les ingrédients dans un bol, puis bien mélanger. Excellent pour accompagner les mets à base de viandes froides.

SAUCE INCROYABLE

1 tasse (250 ml)

½ tasse 125 ml	crème sure
¼ tasse 60 ml	mayonnaise
1 c. à soupe 15 ml	vinaigre de cidre
½ c. à thé 2,5 ml	moutarde de Dijon
½ c. à thé 2,5 ml	cumin moulu
¾ c. à thé 4 ml	flocons d'oignon déshydratés
¼ c. à thé 1 ml	poudre d'ail
2 c. à soupe 30 ml	relish sucrée
	Poivre du moulin

1 Mettre tous les ingrédients dans un bol, puis bien mélanger à l'aide d'un fouet. Réserver au réfrigérateur. Excellent pour accompagner presque tout : le concombre, les tomates, les pommes de terre, les œufs, les fromages doux, le poisson, le jambon, etc. Aussi pour rehausser la saveur de vos sandwichs et de vos salades préférées.

SAUCE AMÉRICAINE

1 tasse (250 ml)

½ tasse 125 ml	mayonnaise
2 c. à soupe 30 ml	pâte de tomate
2	gros jaunes d'œufs
1 c. à soupe 15 ml	flocons d'oignon déshydratés
1 ½ c. à thé 7,5 ml	sauce Worcestershire
1 ½ c. à thé 7,5 ml	moutarde de Dijon
1 c. à soupe 15 ml	sirop de maïs
	Piment de Cayenne

1 Mettre tous les ingrédients sauf le dernier, dans un bol. Assaisonner de piment de Cayenne au goût, puis bien mélanger à l'aide d'un fouet. Excellent pour accompagner les poissons, les fruits de mer, les frites et les sandwichs.

SAUCE CRÉMEUSE AUX HERBES

1 ½ tasse (375 ml)

1 tasse 250 ml	mayonnaise
1	filet d'anchois dans l'huile, égoutté, puis haché finement
2 c. à thé 10 ml	jus de citron
⅓ tasse 80 ml	persil frais ciselé
2 c. à soupe 30 ml	ciboulette
1 c. à thé 5 ml	thym sec
1 c. à thé 5 ml	basilic sec
1 c. à thé 5 ml	marjolaine sèche
1 c. à thé 5 ml	romarin moulu
1 c. à thé 5 ml	menthe sèche
1	grosse gousse d'ail écrasée
	Sel et poivre

1 Mettre tous les ingrédients dans un bol, puis saler et poivrer au goût. Bien mélanger. Couvrir, puis laisser reposer au moins 1 heure avant de servir pour laisser le temps aux saveurs de se développer. Réserver au réfrigérateur. Cette sauce est excellente pour accompagner le poulet et le poisson.

BAGUETTE GRILLÉE AUX MERGUEZ 4 PORTIONS

8	saucisses merguez (ou autre saucisse européenne mince)
1	grande baguette coupée en deux
	Moutarde au choix (Dijon, douce, à l'ancienne)

1. Préchauffer le barbecue à feu moyen. Une fois que la grille est bien chaude, la nettoyer, puis la huiler. Déposer les merguez sur le gril, puis les cuire une dizaine de minutes au total. Les tourner quelques fois durant la cuisson. Ne pas les piquer.
2. Trois ou quatre minutes avant la fin de la cuisson, ajouter les deux morceaux de baguette, puis continuer la cuisson. Tourner les baguettes au moins une fois durant la cuisson.
3. Retirer les saucisses et les morceaux de baguette du feu. Couper chaque morceau de baguette en deux, puis, à l'aide du manche d'une spatule de bois, créer une ouverture dans la mie sans percer l'autre extrémité.
4. Badigeonner généreusement l'intérieur de chaque cavité de moutarde, puis y insérer deux merguez, une par-dessus l'autre ou une à côté de l'autre. Laisser dépasser un petit bout des merguez.
5. Servir immédiatement une baguette grillée par personne. Accompagner de croustilles et d'une salade de tomates.

CONSEIL DE CHEF

Pour cuire vos saucisses sur le gril, vous avez quelques options. Si elles sont fumées, faites-les griller directement au barbecue, à feu moyen-doux, quelques minutes en les tournant régulièrement. Vous pouvez les cuire moins longtemps car elles sont fumées. En procédant ainsi, elles n'éclateront pas et resteront juteuses. Si elles ne sont pas fumées, commencez par les bouillir dans l'eau quelques minutes, puis terminez la cuisson sur le gril à feu moyen-doux. De cette façon, elles nécessiteront un temps de cuisson sur le gril très court, ce qui diminuera les risques d'éclatement et conservera leur jus.

SANDWICHS ITALIENS AU PORC GRILLÉ ET AU PARMESAN **4 PORTIONS**

4	petits pains ciabatta ou panini
	Huile d'olive vierge extra
4	petites escalopes de porc d'environ 4 oz (115 g) chacune
	Feuilles de basilic frais ou de roquette
	Copeaux de fromage parmesan
	Sel et poivre noir du moulin

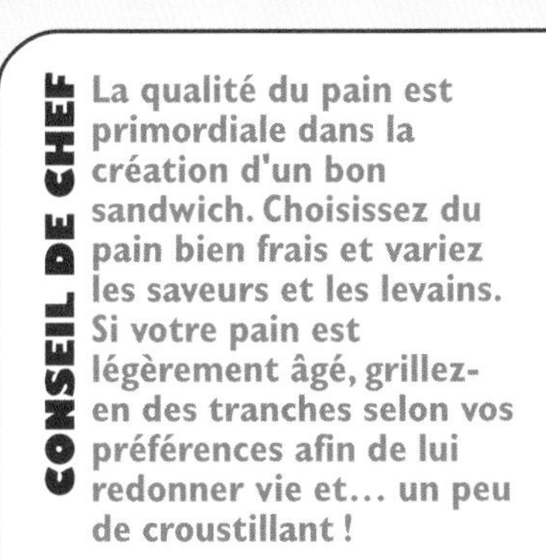

CONSEIL DE CHEF

La qualité du pain est primordiale dans la création d'un bon sandwich. Choisissez du pain bien frais et variez les saveurs et les levains. Si votre pain est légèrement âgé, grillez-en des tranches selon vos préférences afin de lui redonner vie et... un peu de croustillant !

1 Si les pains sont trop longs, les couper en deux. Les trancher en deux dans l'épaisseur pour former des pains à sandwichs. Badigeonner l'extérieur des pains d'un peu d'huile d'olive, puis les réserver. Badigeonner les escalopes de porc d'huile, puis les réserver sur une assiette.

2 Préchauffer le barbecue à feu moyen-élevé. Une fois que la grille est bien chaude, la nettoyer, puis la huiler. Déposer les escalopes sur la grille, puis les cuire 2-3 minutes de chaque côté ou jusqu'à ce que la viande soit encore légèrement rosée (vous pouvez aussi cuire les escalopes dans une poêle antiadhésive). Deux minutes avant la fin de la cuisson, griller les ciabattas des deux côtés.

3 Retirer les escalopes du feu, puis les trancher en languettes. Garnir l'intérieur de quatre ciabattas de languettes de porc, de feuilles de basilic ou de roquette, puis de copeaux de parmesan frais. Saler et poivrer au goût, puis mouiller avec un peu d'huile d'olive. Servir immédiatement un sandwich par personne. Accompagner de croustilles.

PANINI VÉGÉ 4 PORTIONS

6 c. à soupe 90 ml	mayonnaise
3 c. à thé 15 ml	herbes de Provence
1 c. à soupe 15 ml	huile d'olive
½ tasse 125 ml	poivron orange coupé en dés
1 tasse 250 ml	pleurotes coupés en petites bouchées
½ tasse 125 ml	oignon rouge tranché finement
	Sel et poivre
¼ tasse 60 ml	olives noires au choix, dénoyautées et tranchées
4	pains panini
8 oz 225 g	végépâté au choix
4-5 oz 115-150 g	fromage gruyère suisse tranché finement
1	grosse tomate mûre coupée en huit tranches
	Vinaigre balsamique

1 Dans un petit bol, mélanger la mayonnaise et les herbes de Provence. Laisser reposer 30 minutes au réfrigérateur. Dans une poêle antiadhésive préchauffée à feu moyen, faire revenir le poivron, les champignons et l'oignon dans l'huile 6-7 minutes ou jusqu'à ce que les légumes soient tendres.

2 Retirer la poêle du feu, puis saler et poivrer généreusement. Ajouter les olives, puis bien mélanger. Transvider le mélange dans un bol. Réserver. Vous pouvez préparer le mélange de légumes à l'avance et le conserver au réfrigérateur jusqu'au moment de monter les sandwichs.

3 Ouvrir les paninis, puis en badigeonner généreusement l'intérieur de mayonnaise aux herbes de Provence. Étendre le végépâté sur un côté des pains. Recouvrir successivement de tranches de fromage, du mélange de légumes, puis de tranches de tomate (deux par pain). Mouiller les tomates au goût avec le vinaigre balsamique, puis refermer les paninis.

4 Dans une grande poêle antiadhésive préchauffée à feu moyen-doux, griller les sandwichs 3 minutes de chaque côté ou jusqu'à ce que le pain soit bien doré et que le fromage soit fondu. Presser les sandwichs avec une spatule à la mi-cuisson, puis à la fin de la cuisson pour bien les compacter. Trancher, puis servir immédiatement. Accompagner d'une salade verte garnie d'une vinaigrette sucrée au choix.

Barbecue végétarien

BURGERS AU TOFU ET AUX LÉGUMES 4-6 PORTIONS

1 c. à soupe 15 ml	huile d'olive
1	oignon moyen haché finement
½	poivron vert paré et coupé en petits carrés
2	grosses gousses d'ail hachées finement
½ tasse 125 ml	riz brun
1 ½ tasse 375 ml	bouillon de légumes
1 lb 454 g	tofu ferme émietté finement à la fourchette
2	œufs moyens
⅔ tasse 160 ml	carottes râpées
⅔ tasse 160 ml	maïs en grains en boîte, bien égoutté
⅔ tasse 160 ml	fromage cheddar moyen râpé
¼ tasse 60 ml	sauce teriyaki ou soya
¾ tasse 180 ml	chapelure au choix
1 c. à thé 5 ml	sauce harissa ou forte
	Huile végétale
8	pains à hamburger de blé entier
	Tranches de tomates et d'oignon
	Tranches de cornichons
	Feuilles de laitue
	Condiments au choix (moutarde, ketchup, mayonnaise, etc.)

CONSEIL DE CHEF

L'oignon, très faible en gras et en calories, constitue un condiment idéal pour relever et aromatiser vos recettes. Bien qu'il soit faible en nutriments (à part les échalotes vertes qui sont une excellente source de vitamine A), plusieurs études indiquent qu'il pourrait avoir des effets bénéfiques sur la santé (diminution de la pression sanguine et du niveau de cholestérol) lorsqu'il est consommé régulièrement. De plus, l'oignon contient une substance qui interférerait avec la formation de caillots dans le sang.

1 Dans une casserole de grandeur moyenne, faire chauffer l'huile d'olive à feu moyen. Y ajouter l'oignon, le poivron et l'ail, puis faire revenir 1 minute en brassant avec une cuillère de bois. Ajouter le riz, puis cuire 2 minutes de plus en remuant. Incorporer le bouillon, puis porter à ébullition. Baisser le feu, puis couvrir. Cuire 35-40 minutes ou jusqu'à ce que le riz brun soit tendre et que le liquide soit absorbé.

2 Retirer la casserole du feu, puis transvider le mélange dans un bol. Bien écraser le mélange avec un pilon jusqu'à ce que le riz soit en purée. Ajouter les huit autres ingrédients, puis mélanger avec vos mains jusqu'à l'obtention d'un mélange qui se tient bien. Ajouter un peu plus de chapelure ou de farine si le mélange est un peu trop mou et humide.

3 Avec vos mains légèrement huilées, façonner le hachis de tofu en huit galettes. Déposer les galettes sur une grande assiette bien huilée, puis les retourner pour les enrober d'huile. Réserver.

4 Préchauffer le barbecue à feu moyen. Bien gratter la grille, puis la huiler légèrement. Déposer délicatement les galettes sur la grille, puis les griller 4 minutes de chaque côté ou jusqu'à ce qu'elles soient légèrement colorées. Quelques minutes avant la fin de la cuisson, ajouter les pains à hamburger sur le gril pour les dorer un peu.

5 Enlever immédiatement les galettes du gril, puis en déposer une à l'intérieur de chaque pain. Garnir chaque burger de tranches de tomates, d'oignon et de cornichons, d'une feuille de laitue et de vos condiments favoris. Servir immédiatement 1-2 burgers par portion et accompagner d'une salade de couscous aux pistaches et aux raisins secs ainsi que de croustilles au sel et au vinaigre.

BURGERS TOMATÉS AUX POIS CHICHES ET AU BLEU 4-6 PORTIONS

1	boîte de 19 oz (540 ml) de pois chiches, bien égouttés
½ tasse 125 ml	tomates séchées dans l'huile, hachées
½ tasse 125 ml	carottes râpées finement
1 tasse 250 ml	croûtons assaisonnés au choix, écrasés finement
3 c. à soupe 45 ml	pâte de tomate
½ tasse 125 ml	oignon jaune haché finement
2 c. à thé 10 ml	herbes sèches au choix (origan, basilic, etc.)
2 c. à thé 10 ml	sel de mer
6	pains à hamburger de blé entier
	Quelques tranches de fromage bleu pas trop corsé, froid
	Tranches de tomates
	Tranches de cornichons
	Feuilles de laitue
	Condiments au choix (moutarde, ketchup, mayonnaise, etc.)

1 Mettre les pois chiches dans un grand bol à fond plat, puis bien les écraser avec un pilon. Ajouter les sept autres ingrédients, puis bien mélanger avec vos mains.

2 Avec vos mains légèrement huilées, façonner le hachis de pois chiches en six galettes. Déposer les galettes sur une grande assiette bien huilée, puis les retourner pour les enrober d'huile. Réserver.

3 Préchauffer le barbecue à feu moyen. Bien gratter la grille, puis la huiler légèrement. Déposer délicatement les galettes sur la grille du barbecue, puis les griller 3-4 minutes de chaque côté ou jusqu'à ce qu'elles soient légèrement colorées. Quelques minutes avant la fin de la cuisson, ajouter les pains à hamburger sur le gril pour les dorer un peu et déposer sur le dessus de chaque galette quelques petites tranches de bleu. Couvrir, puis continuer la cuisson.

4 Enlever immédiatement les pains et les galettes du gril, puis déposer une galette à l'intérieur de chaque pain. Garnir chaque burger de tranches de tomates, de cornichons et d'une feuille de laitue. Accompagner de condiments au choix, de pitas et de tzatziki.

CONSEIL DE CHEF

Voici quelques trucs pour éviter les pertes lorsque vous utilisez de la pâte de tomate dans une recette.

1. **Égalisez la surface de la pâte dans la boîte de conserve ouverte, puis recouvrez-la complètement d'une mince couche d'huile d'olive. Conservez-la au réfrigérateur.**
2. **Congelez les restes dans des moules à glaçons. Une fois congelés, transvidez les cubes dans un sac à fermeture hermétique allant au congélateur. Ajoutez-en à vos mets au besoin.**
3. **Si vous préférez éviter toutes ces manipulations, procurez-vous de la pâte de tomate en tube en vente dans la plupart des supermarchés ou les épiceries fines.**

BURGERS AU PORTOBELLO CRÉMEUX **4 BURGERS**

1	oignon rouge moyen, pelé, puis coupé en quatre
4	champignons portobello de 4 po (10 cm), les pieds retirés
7 oz 200 g	fromage frais aromatisé (de type boursin)
4	gros pains à hamburger au choix
	Mayonnaise
4	grosses tranches de tomate

CONSEIL DE CHEF

Faites toujours décongeler vos aliments au réfrigérateur ou encore au micro-ondes. En effet, il est dangereux de faire décongeler les aliments à la température de la pièce car dès qu'ils se réchauffent en surface, les bactéries commencent à y proliférer. Consommez vos restants de table réfrigérés dans les cinq jours qui suivent leur préparation, et les restes congelés dans les quatre jours qui suivent leur retrait du congélateur.

1 Préchauffer le barbecue à feu moyen. Gratter la grille, puis bien la huiler. Baisser le feu à moyen. Enfiler les quartiers d'oignon sur une brochette, puis la déposer sur la grille du barbecue. Cuire les morceaux d'oignon 10-15 minutes ou jusqu'à ce qu'ils soient bien grillés. Les tourner à quelques reprises durant la cuisson.

2 Cinq minutes après avoir mis les oignons à griller, mettre les champignons sur la grille, côté ouvert vers le bas. Les griller 4 minutes, puis les tourner. Garnir généreusement la cavité de chaque champignon de fromage frais, puis baisser le feu légèrement. Couvrir partiellement, puis continuer la cuisson 4-5 minutes de plus.

3 Quelques minutes avant la fin de la cuisson, mettre les pains sur la grille pour les dorer légèrement.

4 Retirer la brochette d'oignon de la grille, puis trancher les quartiers. Réserver. Retirer les pains de la grille, puis badigeonner l'intérieur d'une mince couche de mayonnaise. Insérer un champignon farci dans chaque pain. Garnir chaque burger d'une tranche de tomate et d'oignon grillé. Servir immédiatement.

HAMBURGERS SUISSES AUX LENTILLES ET À L'AIL 4 PORTIONS

1	boîte de 19 oz (540 ml) de lentilles, bien égouttées
4	gousses d'ail écrasées
1	gros œuf battu
⅓ tasse 80 ml	chapelure
2 c. à soupe 30 ml	moutarde forte
1 c. à thé 5 ml	poudre de curry
⅔ tasse 160 ml	fromage emmental suisse râpé
2 c. à soupe 30 ml	farine non blanchie
	Sel et poivre
4	gros pains à hamburger
	Condiments au choix

1 Mettre tous les ingrédients, sauf les pains à hamburger et les condiments, dans un grand bol. Piler le tout jusqu'à l'obtention d'un mélange homogène. Façonner quatre galettes avec le mélange de lentilles. Tremper fréquemment vos mains dans l'eau durant l'opération afin d'éviter que le mélange y adhère. Assaisonner généreusement les galettes de sel et de poivre, puis les déposer sur une grande assiette bien huilée. Les tourner pour enduire l'autre côté d'huile, puis les réserver.

2 Préchauffer le barbecue à feu moyen-élevé. Bien gratter la grille, puis la huiler. Déposer les galettes sur le gril et les cuire 5-6 minutes de chaque côté. Ne les tourner qu'une fois et délicatement. Si vous disposez d'une plaque trouée à barbecue, la cuisson sera plus simple et les galettes seront plus faciles à tourner. Cuire les hamburgers le couvercle fermé.

3 Vers la fin, griller les pains sur l'étage supérieur du barbecue. Enlever immédiatement les pains et les galettes du gril, puis déposer une galette à l'intérieur de chaque pain. Garnir chaque hamburger de condiments au choix et servir immédiatement.

CONSEIL DE CHEF

Il semble que la consommation d'œufs améliore la fonction cérébrale. En effet, l'Académie nationale de sciences et Santé Canada ont récemment reconnu la choline (substance retrouvée dans l'œuf) comme un élément nutritif essentiel au corps humain. Malheureusement, celui-ci en synthétise insuffisamment. Toutefois, il faut savoir que deux gros œufs contiennent assez de cette substance pour combler les besoins quotidiens d'un adulte. Par ailleurs, des études effectuées auprès de femmes enceintes ont démontré que la choline est essentielle au développement du cerveau et de la mémoire du fœtus.

BURGERS VÉGÉTARIENS AUX NOIX DE CAJOU 6 PORTIONS

1	boîte de 19 oz (540 ml) de haricots rouges, égouttés
1	oignon rouge haché
¼ tasse 60 ml	noix de cajou hachées finement
½ tasse 125 ml	chapelure
2 c. à soupe 30 ml	sauce chili
2 c. à soupe 30 ml	moutarde à l'ancienne
1	œuf battu
1 c. à thé 5 ml	poudre de chili
	Coriandre moulue
	Poivre
6	tranches de fromage au choix
6	pains à hamburger
	Condiments au choix

1. Dans un grand bol, piler tous les ingrédients, sauf le fromage, les pains et les condiments. Assaisonner au goût de coriandre et de poivre. Avec ce hachis, former six galettes uniformes en vous trempant les mains dans l'eau de temps à autre pour faciliter la confection (le mélange collera moins à vos mains). Bien huiler les galettes et les réserver sur une grande assiette.
2. Préchauffer le barbecue à feu moyen. Bien gratter la grille, puis la huiler. Déposer les galettes sur le gril et les cuire 8 minutes de chaque côté (l'utilisation d'une plaque trouée à barbecue facilitera la manipulation des galettes durant le grillage). Tourner délicatement les galettes une seule fois.
3. Deux minutes avant la fin de la cuisson, réchauffer les pains, si nécessaire, et garnir chaque galette d'une tranche de fromage. Enlever immédiatement les pains et les galettes du gril, puis insérer une galette à l'intérieur de chaque pain. Garnir chaque burger de condiments au choix, puis servir immédiatement.

SALADES DE PÂTES EXPRESS

Ces recettes passe-partout accompagneront très bien vos plats principaux.

SALADE DE POIS CHICHES AUX ROTINI ET AU PEPPERONI

4-6 portions

1 lb 454 g	rotini
1	boîte de 19 oz (540 ml) de pois chiches, égouttés
1 tasse 250 ml	poivrons rouges grillés, en boîte, coupés en carrés
1 tasse 250 ml	pepperoni végétarien, peau retirée, coupé en petits dés
1 tasse 250 ml	feuilles de roquette bien compactées
	Poivre noir du moulin
	Vinaigrette non crémeuse au choix (italienne, balsamique, huile et vinaigre, etc.)
1 tasse 250 ml	fromage cheddar doux râpé

1. Cuire les rotini dans une casserole remplie d'eau bouillante jusqu'à ce qu'ils soient « al dente ». Les égoutter immédiatement, puis les transvider dans un grand bol à salade. Ajouter les quatre autres ingrédients, puis poivrer au goût.
2. Mouiller avec la vinaigrette de votre choix, puis mélanger. Garnir la salade de fromage en l'étalant bien sur le dessus, puis couvrir d'une pellicule de plastique. Réfrigérer jusqu'au moment de servir. Mélanger juste avant de servir la salade.

SALADE DE PENNE À LA BRUSCHETTA ET AU DUO D'OLIVES

6 portions

1 lb 454 g	penne de couleur
1 tasse 250 ml	bruschetta maison ou du commerce
1 tasse 250 ml	cœurs de palmier entiers en boîte, égouttés et tranchés en rondelles
1 tasse 250 ml	olives noires et vertes dans l'huile, dénoyautées et tranchées
1 tasse 250 ml	fromage feta coupé en petits cubes
1 c. à thé 5 ml	herbes de Provence
	Sel et poivre du moulin

1. Cuire les penne dans une casserole remplie d'eau bouillante jusqu'à ce qu'elles soient « al dente ». Les égoutter immédiatement, puis les transvider dans un grand bol à salade.
2. Ajouter le reste des ingrédients, puis assaisonner au goût de sel et de poivre. Mélanger délicatement, puis couvrir et réserver au réfrigérateur jusqu'au moment de servir.

SALADE MEXICAINE AUX MACARONI ET À L'AVOCAT

6 portions

	Chair de deux avocats moyens, coupée en petits dés
	Jus d'un demi-citron
1 lb 454 g	petits coudes de macaroni
1	boîte de 19 oz (540 ml) de haricots rouges, égouttés
1 tasse 250 ml	salsa au choix
4	échalotes vertes tranchées
1	gros poivron vert paré et coupé en petits carrés
	Épices et herbes au choix

1. Mettre les dés d'avocats dans un bol à salade, puis les mouiller avec le jus de citron. Réserver.
2. Cuire les coudes dans une casserole remplie d'eau bouillante jusqu'à ce qu'ils soient « al dente ». Les égoutter immédiatement, puis les transvider dans le bol à salade contenant les dés d'avocats. Ajouter le reste des ingrédients, puis assaisonner au goût des épices de votre choix.
3. Mélanger délicatement, puis couvrir et réserver au réfrigérateur jusqu'au moment de servir. Cette recette se consomme idéalement dans les prochaines 24 heures.

BURGERS DE RIZ ET DE HARICOTS NOIRS AUX PISTACHES 4-6 PORTIONS

Quantité	Ingrédient
¼ tasse 60 ml	boulgour sec
1 ½ tasse 375 ml	riz cuit
1 ½ tasse 375 ml	petits haricots noirs cuits, égouttés et pilés
1	œuf battu
1 c. à soupe 15 ml	eau
10	biscuits soda écrasés
½ tasse 125 ml	pistaches écalées
1 c. à soupe 15 ml	sauce Worcestershire
2 c. à thé 10 ml	moutarde forte
1 c. à thé 5 ml	paprika moulu
1 c. à thé 5 ml	curcuma
1 c. à thé 5 ml	coriandre moulue
	Sel et poivre
6	grands pains à hamburger
	Condiments au choix (tranches de fromage suisse, tomates, mayonnaise, etc.)

1. Cuire le boulgour dans l'eau bouillante quelques minutes jusqu'à ce qu'il soit tendre. L'égoutter et le mettre dans un grand bol. Ajouter le reste des ingrédients, sauf les pains et les condiments. Bien mélanger avec vos mains. Saler et poivrer au goût. Façonner le hachis en six galettes en vous trempant fréquemment les mains dans l'eau pour éviter que le mélange colle.
2. Préchauffer le barbecue à feu moyen-élevé. Bien nettoyer et huiler la grille. Déposer délicatement les galettes préalablement badigeonnées d'huile sur la grille du barbecue. Baisser le feu à moyen et cuire les galettes 7-8 minutes de chaque côté, en les tournant délicatement une seule fois avec une grande spatule.
3. Quelques minutes avant la fin de la cuisson, griller les pains et ajouter, s'il y a lieu, le fromage sur les galettes. Retirer le tout du barbecue, puis insérer une galette à l'intérieur de chaque pain et garnir de vos condiments favoris. Servir immédiatement et accompagner d'une salade de chou et de frites.

RISOTTO AUX LÉGUMES ET AU TOFU GRILLÉ 4-6 PORTIONS

Quantité	Ingrédient
¼ tasse 60 ml	beurre
2	gousses d'ail hachées finement
1	petit oignon haché finement
1 c. à soupe 15 ml	persil frais haché finement
1 c. à thé 5 ml	origan sec
1 ½ tasse 375 ml	riz arborio ou àrisotto
½ c. à thé 2,5 ml	sel
⅔ tasse 160 ml	vin blanc sec
	Bouillon de légumes très chaud
	Sel et poivre du moulin
	Fromage parmesan frais râpé

BROCHETTES DE LÉGUMES ET DE TOFU

Quantité	Ingrédient
1	courgette coupée en tranches épaisses
1	poivron vert paré et coupé en morceaux
1	poivron rouge paré coupé en morceaux
1 tasse 250 ml	champignons coupés en gros morceaux
1	oignon moyen coupé en huit
2	tomates moyennes coupées en quartiers
½ lb 227 g	tofu ferme coupé en cubes et mariné 24 heures dans une marinade au choix
	Huile d'olive

1. Dans une grande casserole à fond épais, faire fondre le beurre à feu moyen. Ajouter l'ail, l'oignon, le persil et l'origan. Cuire 1 minute en brassant. Augmenter le feu à moyen-élevé, puis ajouter le riz et le sel. Cuire 2 minutes en brassant. Mouiller avec le vin blanc, puis cuire en brassant jusqu'à ce que le liquide s'évapore.
2. Réduire le feu à moyen, puis ajouter ½ tasse (125 ml) de bouillon chaud. Cuire en remuant jusqu'à ce que le liquide soit absorbé. Répéter l'opération (ajout de bouillon) jusqu'à ce que le riz soit cuit « al dente », environ 20-35 minutes. Si vous n'avez pas assez de bouillon, vous pouvez le remplacer par de l'eau chaude.
3. Retirer la casserole du feu. Saler et poivrer au goût. Bien mélanger. Couvrir et laisser reposer 2-3 minutes. Servir immédiatement des portions individuelles. Garnir de fromage parmesan râpé, puis de 1-2 brochettes de légumes et de tofu.

BROCHETTES DE LÉGUMES ET DE TOFU

4. Préchauffer le barbecue à feu moyen. Bien nettoyer la grille et la huiler. Alterner des morceaux de légumes et de tofu sur des brochettes, puis les huiler. Badigeonner les brochettes de la marinade à tofu.
5. Préchauffer le barbecue à feu moyen. Bien gratter la grille, puis la huiler. Déposer les brochettes sur le gril, puis les griller 16-18 minutes au total ou jusqu'à ce que les légumes soient bien grillés et tendres mais encore croustillants. Les badigeonner de la marinade à tofu durant la cuisson. Retirer les brochettes du gril et servir immédiatement.

POMMES DE TERRE ET TOFU GRILLÉS, MAYONNAISE À L'AIL RÔTI 4 PORTIONS

1 lb 454 g	pommes de terre rouges, bien nettoyées
1 lb 454 g	tofu ferme coupé en gros cubes
1 c. à thé 5 ml	poudre de chili
½ c. à thé 2,5 ml	poivre noir moulu
1-2 c. à soupe 15-30 ml	huile d'olive
	Sel

MAYONNAISE À L'AIL RÔTI

1	bulbe d'ail
⅔ tasse 160 ml	mayonnaise
⅓ tasse 80 ml	yogourt nature
1 c. à soupe 15 ml	jus de citron
⅛ c. à thé 0,5 ml	piment de Cayenne

1 Dans une casserole contenant de l'eau bouillante, cuire les pommes de terre 7-8 minutes. Les égoutter, puis les couvrir d'eau froide. Les égoutter de nouveau, puis les laisser sécher.

2 Préchauffer le barbecue à feu moyen. Bien nettoyer la grille, puis la huiler. Couper les pommes de terre de la même grosseur que les cubes de tofu, puis les mettre dans un bol. Y ajouter le tofu, puis ajouter la poudre de chili et le poivre. Mouiller avec de l'huile d'olive, puis mélanger. Alterner les morceaux de pommes de terre et de tofu sur quatre longues ou huit petites brochettes. Les saler au goût, puis les déposer sur la grille du barbecue. Cuire les brochettes 20-25 minutes ou jusqu'à ce que le tout soit bien doré et croustillant et que les pommes de terre soient cuites. Tourner les brochettes à plusieurs reprises durant la cuisson.

3 Retirer les brochettes du feu, puis en servir 1-2 par portion. Napper chaque brochette d'un peu de mayonnaise à l'ail rôti. Accompagner d'une salade verte citronnée et de tranches de baguette.

MAYONNAISE À L'AIL RÔTI

4 Préchauffer le barbecue à feu moyen. Envelopper le bulbe d'ail dans une petite feuille de papier d'aluminium. Cuire l'ail 25-35 minutes au barbecue ou jusqu'à ce qu'il soit tendre. Tourner quelques fois durant la cuisson.

5 Retirer le bulbe du feu, puis extraire la chair d'ail du bulbe en l'écrasant délicatement avec les mains. Mettre la chair et le reste des ingrédients dans un robot culinaire, puis réduire en purée homogène. Transvider dans un contenant hermétique, puis réserver au réfrigérateur.

POLENTA GRILLÉE AUX LENTILLES ET AU GOUDA 4-6 PORTIONS

	Huile d'olive
¼ tasse 60 ml	oignon jaune haché
2	gousses d'ail écrasées
2 ½ tasses 625 ml	bouillon de légumes
⅔ tasse 160 ml	farine de maïs dorée
2 c. à soupe 30 ml	basilic frais haché
⅔ tasse 160 ml	lentilles cuites, puis égouttées
	Poivre du moulin
	Tranches de fromage gouda
	Sauce tomate au choix

1 Huiler un grand plat rectangulaire (à lasagne). Réserver. Dans une grande casserole, faire chauffer 1-2 c. à soupe (15-30 ml) d'huile d'olive à feu moyen. Ajouter l'oignon et l'ail, puis cuire 1-2 minutes en brassant. Ajouter le bouillon, puis porter à ébullition à feu moyen-élevé.

2 Saupoudrer graduellement la farine de maïs et mélanger constamment avec une spatule de bois. Baisser le feu à moyen-doux, puis laisser mijoter 30-35 minutes ou jusqu'à ce que la préparation épaississe. Brasser constamment.

3 Retirer la préparation du feu, puis ajouter le basilic et les lentilles. Poivrer au goût. Bien mélanger et verser la polenta dans le plat rectangulaire huilé. Réfrigérer quelques heures ou jusqu'à ce qu'elle soit bien ferme.

4 Préchauffer le barbecue à feu moyen-élevé. Bien nettoyer la grille, puis la huiler. Couper la polenta en rectangles, puis les badigeonner d'huile d'olive. Les déposer sur la grille du barbecue, puis cuire le premier côté 7-8 minutes ou jusqu'à ce qu'il soit bien croustillant et doré. Tourner les morceaux de polenta, puis déposer une tranche de gouda sur chacun d'eux.

5 Couvrir et cuire un autre 5-7 minutes ou jusqu'à ce qu'ils soient bien croustillants et dorés. Les retirer du feu, puis servir immédiatement quelques morceaux par personne. Napper chaque portion de sauce tomate préalablement réchauffée. Accompagner d'une salade italienne.

TOMATES FARCIES AU FROMAGE ET AUX AMANDES **4 PORTIONS**

4	grosses tomates
1 ½ tasse 375 ml	fromage cottage
⅓ tasse 80 ml	amandes émincées et grillées
⅓ tasse 80 ml	fromage à la crème à la température de la pièce
1 c. à soupe 15 ml	basilic frais haché
1 c. à thé 5 ml	cumin moulu
4 c. à soupe 60 ml	poivron rouge haché finement
	Sel et poivre

CONSEIL DE CHEF

Pour évider les tomates tout en conservant leur forme, utilisez un couteau à pamplemousse à lame courbe. L'opération sera plus aisée et le résultat obtenu, plus joli.

1. Couper une calotte sur le dessus de chaque tomate, puis les évider. Conserver la moitié de la chair et la transférer dans un bol. Réserver les tomates évidées.
2. Ajouter le reste des ingrédients au bol et bien mélanger. Saler et poivrer au goût.
3. Préchauffer le barbecue à feu moyen, puis bien gratter la grille. Farcir chaque tomate avec le mélange au fromage et aux amandes. Déposer les tomates farcies sur le gril huilé. Couvrir et cuire 10 minutes. Retirer les tomates du gril, puis les servir immédiatement. Acccompagner d'une salade de cresson. Décorer chaque tomate avec sa calotte.

BROCHETTES ASIATIQUES DE TOFU **4 PORTIONS**

1 lb 454 g	tofu ferme coupé en gros cubes
16	tomates cerises
8	morceaux de poireau
16	petits champignons

MARINADE À LA SAUCE SOYA

½ tasse 125 ml	sauce soya
	Jus d'un citron moyen
2	grosses gousses d'ail hachées finement
1 c. à soupe 15 ml	gingembre frais haché
4 c. à soupe 60 ml	huile d'olive
	Sel et poivre

CONSEIL DE CHEF

Le tofu, ferme et semi-ferme, peut être grillé directement au barbecue parce qu'il absorbe très bien les marinades et les sauces avec lesquelles on l'apprête avant la cuisson. De plus, lorsqu'on le rôtit directement sur la grille, il se colore à merveille et devient, après environ 15 minutes de cuisson, croustillant et savoureux. Lorsqu'une recette vous suggère de mariner le tofu, piquez-le avec une petite brochette pour qu'il absorbe mieux la marinade. Pour retirer le maximum des saveurs, il est recommandé de mariner le tofu de 24 à 48 heures au réfrigérateur. N'hésitez pas à faire vos propres expérimentations.

1. Mettre les cubes de tofu dans un bol moyen, puis mouiller avec la marinade à la sauce soya. Mélanger délicatement, puis laisser mariner 12 heures au réfrigérateur en les tournant et en les piquant occasionnellement.
2. Enfiler les cubes de tofu sur des brochettes en alternant les trois types de légumes. Préchauffer le barbecue à feu moyen-élevé. Bien gratter la grille, puis la huiler. Déposer les brochettes sur la grille et les cuire 7-8 minutes de chaque côté. Les badigeonner à quelques reprises avec le reste de la marinade à la sauce soya.
3. Retirer les brochettes du gril, puis en servir 1-2 par portion. Accompagner de riz, d'asperges et d'une julienne de carottes.

MARINADE À LA SAUCE SOYA

4. Dans un bol, bien mélanger tous les ingrédients. Saler et poivrer au goût. Couvrir et réserver au réfrigérateur.

PIZZA AUX OLIVES, AUX CHAMPIGNONS ET AU BOCCONCINI 4-6 PORTIONS

1	croûte à pizza d'environ 12 po (30 cm) ou 4 pitas
1 tasse 250 ml	sauce à pizza
	Piments forts broyés
	Basilic frais ciselé
1 tasse 250 ml	champignons blancs tranchés
½	poivron vert paré et tranché
	Fromage bocconcini tranché
	Olives vertes et noires au choix, dénoyautées
½	oignon moyen haché
	Origan sec
	Huile d'olive aromatisée au choix

1 Étendre la sauce à pizza sur le dessus de la croûte à pizza ou des pitas. Assaisonner au goût de piments forts broyés. Garnir généreusement de basilic frais, de morceaux de champignons et de poivron. Couvrir de tranches de bocconcini, puis d'olives tranchées et d'oignon haché. Assaisonner d'origan sec et mouiller avec un peu d'huile d'olive.

2 Préchauffer le barbecue à feu élevé. Lorsqu'il est bien chaud, gratter la grille et baisser immédiatement le feu à moyen-doux. Bien huiler la grille, puis déposer la pizza au centre du gril. Couvrir. Cuire la pizza 10 minutes ou jusqu'à ce que le fromage soit bien fondu et que la croûte soit bien colorée.

3 Vérifier la croûte à quelques reprises pour s'assurer qu'elle ne brûle pas. Si elle brûle légèrement, baisser le feu au minimum. S'il s'agit de pitas, les cuire moins longtemps et baisser le feu à doux dès le début. Retirer la pizza du barbecue et la couper en huit pointes. Servir immédiatement et accompagner d'une salade verte et d'huile épicée.

CONSEIL DE CHEF

Un brunch s'organise facilement lorsqu'on prépare soi-même (ou avec l'aide d'autres personnes) trois ou quatre recettes variées (deux plats principaux, un mets sucré et un plat d'accompagnement, par exemple) à l'avance. Pour compléter le menu, voici quelques idées d'aliments tout préparés à acheter : brioches, croissants, pains, pâtés, salades diverses, poisson fumé, viandes froides, fromages, salade de fruits, petites bouchées et canapés, trempette et tartinade, etc. Accompagnez ces mets de vins blancs, rosés ou mousseux. Pour les boissons sans alcool, un punch aux fruits ou un pétillant sans alcool à base de jus de fruits charmera les palais les plus exigeants. Surtout, gardez toujours à portée de la main une grande cruche d'eau froide.

PIZZA AUX TROIS FROMAGES ET AUX LÉGUMES GRILLÉS **4-6 PORTIONS**

Quantité	Ingrédient
1	gros radicchio
2	blancs de poireaux
½	gros bulbe de fenouil
1	gros champignon portobello
3	gros poivrons rouges
	Huile d'olive
	Vinaigre balsamique
	Sel et poivre
1	croûte à pizza non cuite de 12 po (30 cm)
½ tasse 125 ml	herbes fraîches au choix, ciselées
2-3	saucisses végétariennes tranchées
⅔ tasse 160 ml	fromage provolone râpé
⅔ tasse 160 ml	fromage cheddar râpé
6 c. à soupe 90 ml	fromage parmesan râpé

1 Préchauffer le barbecue à feu moyen. Bien gratter la grille, puis la huiler. Déposer les cinq légumes entiers préalablement huilés sur la grille du barbecue et les cuire 10-15 minutes ou jusqu'à ce qu'ils soient bien colorés mais encore légèrement croustillants. Les tourner à quelques reprises durant le grillage. Retirer les légumes du barbecue, puis les réserver sur une planche à découper.

2 Peler les poivrons, puis les parer. Les réduire en purée au robot culinaire avec un peu de vinaigre balsamique. Saler et poivrer au goût. Réserver cette purée. Trancher le reste des légumes, puis les réserver.

3 Badigeonner le dessous de la croûte à pizza d'un peu d'huile d'olive. Recouvrir la croûte de purée de poivrons rouges, puis des herbes fraîches ciselées. Répartir également les morceaux de légumes et les tranches de saucisses sur le dessus de la pizza.

4 Étendre les trois fromages préalablement mélangés sur le dessus de la pizza. Mouiller avec un peu de vinaigre balsamique, puis poivrer au goût. Déposer délicatement la pizza sur le barbecue, puis baisser le feu à doux. Couvrir et cuire la pizza 10-12 minutes ou jusqu'à ce que la croûte soit bien dorée et que les fromages soient fondus. Retirer la pizza du feu, puis servir immédiatement en pointes. Accompagner d'une salade au choix.

COQUILLES DE CONCOMBRES FARCIES AU CHÈVRE ET AUX POIVRONS GRILLÉS 4 PORTIONS

2	gros concombres anglais bien nettoyés
	Sel
1 tasse 250 ml	poivrons grillés
¼ tasse 60 ml	huile d'olive
2 c. à soupe 30 ml	vinaigre de vin rouge
⅓ lb 150 g	tofu mou en morceaux
	Jus d'un demi-citron
1 c. à thé 5 ml	sucre granulé
	Poivre
⅓ lb 150 g	fromage de chèvre affiné (demi-ferme) en morceaux
	Persil frais haché

CONSEIL DE CHEF

On trouve maintenant en magasin, même dans les grandes surfaces, plusieurs types de fromages de chèvre : bleu, aromatisé, de type ricotta, frais, à pâte molle, semi-ferme ou ferme (pour râper), brie/camembert, à la crème, etc. N'hésitez pas à demander à votre fromager de vous en suggérer quelques-uns. À vous d'expérimenter et de découvrir.

1 Couper les concombres en deux dans l'épaisseur, puis les épépiner. Mettre les concombres sur une assiette et les saupoudrer de sel. Les laisser dégorger 30 minutes, puis les rincer et les éponger.

2 À l'aide d'une cuillère à melon, retirer suffisamment de chair de chaque demi-concombre afin de créer une cavité assez grande pour le farcir. Réserver les coquilles. Mettre la chair dans un robot culinaire. Ajouter le reste des ingrédients, sauf le fromage et le persil, puis saler et poivrer au goût. Réduire le tout en purée uniforme et lisse. Ajouter un peu d'huile d'olive au besoin.

3 Farcir les coquilles de concombres avec la purée de poivrons et de tofu. Garnir de chèvre et de persil. Réserver. Préchauffer le barbecue à feu élevé, puis bien gratter la grille. Baisser le feu à moyen-doux, puis déposer les coquilles de concombres sur la grille huilée du barbecue. Couvrir et les griller 8-10 minutes. Servir une demi-coquille par personne et accompagner de pâtes au choix et de pain frais.

Desserts aux fruits

SANDWICHS DE CRÈME GLACÉE À LA FRAISE 4-6 PORTIONS

	Crème glacée à la fraise
8	gaufres du commerce, au choix, congelées
	Sauce au chocolat au choix
	Fraises fraîches entières

1. Mettre la crème glacée au réfrigérateur 30 minutes avant de préparer le dessert afin de la ramollir.
2. Retirer les gaufres du congélateur. En déposer quatre sur une surface de travail, puis répartir également sur chacune d'elles environ ¾ po (2 cm) d'épaisseur de crème glacée à la fraise. Recouvrir chacune d'elles d'une autre gaufre, puis presser légèrement pour compacter le tout également.
3. Égaliser la crème glacée sur le pourtour des sandwichs. Emballer chaque sandwich dans une pellicule de plastique, puis les congeler jusqu'au moment de servir.
4. Mettre les sandwichs au réfrigérateur 15 minutes avant de les servir. Trancher chaque sandwich en quatre pointes, puis en déposer 2-4 morceaux par assiette. Les napper de sauce au chocolat et les garnir d'une fraise. Servir immédiatement.

CONSEIL DE CHEF

Le parfum des fraises est à son meilleur lorsqu'elles sont à la température de la pièce. Lavez les fraises avant de les équeuter pour éviter qu'elles se gorgent d'eau et que leur saveur s'en trouve ainsi diluée. Les fraises ont une chair tendre et fragile. Elles s'abîment facilement lorsqu'elles sont entassées. Pour prolonger leur conservation, foncez un grand plat d'une double épaisseur d'essuie-tout ou d'un linge propre, puis répartissez-y les fraises en une seule couche sur toute la surface. Couvrez, puis réfrigérez.

PARFAIT AUX CERISES JUBILÉ 4 PORTIONS

4	tranches de pain au chocolat de type brownies
	Crème glacée au chocolat et aux brisures de chocolat
4	cerises au marasquin en pot

SAUCE AUX CERISES

½ tasse 125 ml	eau
2 ½ c. à soupe 37,5 ml	gelée de porto
3 c. à soupe 45 ml	confiture de cerises
1 ½ tasse 375 ml	cerises fraîches coupées en deux et dénoyautées

1 Mettre les tranches de pain au chocolat au fond de quatre assiettes creuses. Déposer une grosse boule de crème glacée au chocolat au centre des tranches de pain, puis mouiller au goût avec la sauce aux cerises. Garnir chaque portion d'une cerise au marasquin. Servir immédiatement.

SAUCE AUX CERISES

2 Dans une casserole, mélanger les trois premiers ingrédients. Cuire à feu moyen, tout en brassant, jusqu'à ce que le mélange soit homogène et qu'il bouille.

3 Ajouter les cerises, puis porter à ébullition. Baisser le feu à doux.

4 Cuire 5-7 minutes ou jusqu'à ce que les cerises aient ramolli et que la sauce soit onctueuse. Servir chaud, de préférence.

CONSEIL DE CHEF

Rien de plus facile que de préparer un dessert somptueux en moins de 10 minutes. Il suffit de garder à portée de la main au moins un des ingrédients de chacune des trois catégories suivantes, puis de les combiner au goût au dernier moment.
1. Une base : crème glacée à la vanille, yogourt nature (de préférence à 10 % M.G.), crème sure, fromage à la crème ramolli, gâteau quatre-quarts (congelé ou non) du commerce ;
2. Des fruits : en conserve ou congelés ;
3. Une garniture : sauce au chocolat ou au caramel, sirop de grenadine ou de petits fruits, confiture au choix, crème 15 % ou 35 %.

YOGOURT GLACÉ AUX FRAMBOISES ET AUX BANANES 6 PORTIONS

½ tasse 125 ml	sucre granulé	1 ½ tasse 375 ml	yogourt nature
1 tasse 250 ml	eau	1 tasse 250 ml	crème 35 %, à fouetter
½ tasse 125 ml	framboises fraîches	1	blanc d'œuf monté en neige
2	bananes pelées et tranchées		Framboises fraîches et tranches de bananes

1. Dans une casserole moyenne, chauffer l'eau et le sucre à feu doux jusqu'à ce qu'il soit dissous. Brasser régulièrement durant l'opération. Porter à ébullition, puis laisser mijoter jusqu'à ce que le liquide atteigne 225 °F (107 °C). Verser le sirop dans un robot culinaire. Réserver.
2. Mettre les framboises et les tranches de bananes dans le robot, puis réduire le tout jusqu'à l'obtention d'une purée. Transvider la purée dans un grand bol. Ajouter graduellement le yogourt tout en mélangeant avec un fouet. Bien mélanger, puis congeler 90 minutes.
3. Juste avant de retirer le bol du congélateur, fouetter la crème jusqu'à ce qu'elle soit ferme. Réserver. Retirer le bol du congélateur, puis fouetter le mélange de fruits au batteur électrique jusqu'à l'obtention d'une texture lisse. Ajouter la crème fouettée et le blanc d'œuf battu, puis battre jusqu'à ce que tous les ingrédients soient bien intégrés. Remettre le bol au congélateur 3-4 heures ou jusqu'à ce que le mélange soit complètement gelé.
4. Trente minutes avant de servir, mettre le yogourt glacé au réfrigérateur pour le faire ramollir. Déposer 2-3 boules de yogourt glacé dans chaque coupe individuelle, puis garnir chaque portion de framboises fraîches et de tranches de bananes. Servir immédiatement.

CONSEIL DE CHEF

Pour plus de saveur et une texture bien moelleuse, transférez vos desserts glacés au réfrigérateur 15 minutes avant de les servir. Lorsque vous broyez des cubes de glace dans le mélangeur, laissez-les reposer 15 minutes à la température de la pièce avant de les utiliser. La glace sera plus molle et vous obtiendrez des boissons plus crémeuses. Créez facilement vos propres saveurs de crème glacée en un tournemain : laissez ramollir de la crème glacée à la vanille de 15 à 20 minutes au réfrigérateur, puis incorporez-y vos ingrédients préférés (guimauves, sauce au chocolat, chocolats hachés, biscuits en morceaux, bonbons, noix, etc.). Servez immédiatement ou remettez au congélateur pendant 30 minutes pour raffermir, puis servez.

TRUFFES GÉANTES À LA CRÈME GLACÉE **6 PORTIONS**

Quantité	Ingrédient	Quantité	Ingrédient
6	**grosses boules de crème glacée à la vanille**	*4 c. à soupe* 60 ml	**crème 15 %**
¼ tasse 60 ml	**beurre**	*½ tasse* 125 ml	**crème 35 %, à fouetter**
8 oz 227 g	**chocolat mi-sucré**		**Fruits frais au choix**

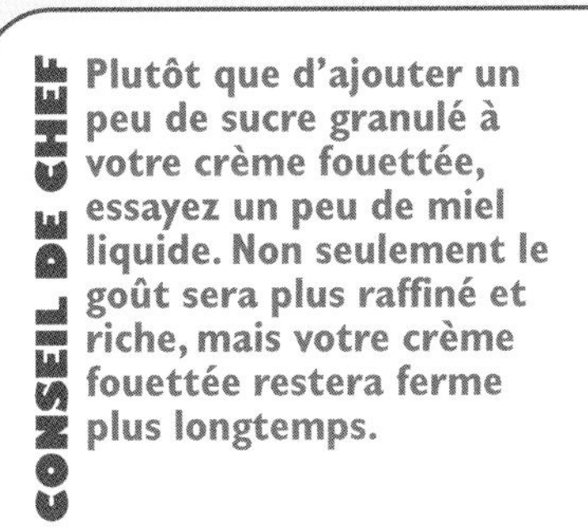

CONSEIL DE CHEF

Plutôt que d'ajouter un peu de sucre granulé à votre crème fouettée, essayez un peu de miel liquide. Non seulement le goût sera plus raffiné et riche, mais votre crème fouettée restera ferme plus longtemps.

1. Foncer une grande plaque d'un papier parchemin. Déposer les boules de crème glacée sur la plaque, puis mettre le tout au congélateur 2-3 heures.
2. Faire fondre le chocolat et le beurre au bain-marie. Retirer le bain-marie du feu, puis ajouter la crème 15 %. Bien mélanger. Laisser refroidir à la température de la pièce.
3. En procédant rapidement, prélever une boule de crème glacée sur la plaque avec une grande cuillère ou une petite spatule. La placer au-dessus de la casserole contenant le mélange de chocolat fondu puis, à l'aide d'une autre cuillère ou d'une petite louche, napper la boule de chocolat fondu.
4. Remettre la boule de crème glacée sur la plaque, puis au congélateur. Répéter l'opération avec les autres boules. Congeler 2-3 heures.
5. Juste avant de servir, fouetter la crème 35 % jusqu'à ce qu'elle soit ferme. Déposer les truffes géantes à la crème glacée dans des assiettes, puis garnir le pourtour de chacune d'elles de crème fouettée et de fruits frais au choix. Servir immédiatement.

CRÈME GLACÉE AUX BANANES ET AUX BRISURES DE CHOCOLAT 4 PORTIONS

1 tasse 250 ml	lait évaporé
3	bananes pelées et écrasées
½ tasse 125 ml	yogourt nature
⅓ tasse 80 ml	lait
¼ tasse 60 ml	crème 35 %, à fouetter
¼ tasse 60 ml	sirop d'érable
1 c. à thé 5 ml	extrait de vanille
½ tasse 125 ml	brisures de chocolat
	Fruits frais au choix

CONSEIL DE CHEF

Le chocolat noir est excellent pour la santé. Il contient certains phytocomposés qui agissent comme antioxydants. De plus, on y trouve de la catéchine qui pourrait prévenir le cancer. Plus le niveau de cacao est élevé (plus de 60 %), plus la concentration de ces éléments est élevée. Quant au chocolat au lait et au chocolat blanc, ils sont plus agréables sous la dent que bons pour la santé.

1. Verser le lait évaporé dans un grand bol, puis le couvrir d'une feuille de papier d'aluminium. Congeler 1 heure.
2. Retirer le bol du congélateur, puis ajouter le reste des ingrédients, sauf les brisures de chocolat et les fruits frais. Bien fouetter au batteur électrique jusqu'à l'obtention d'un mélange crémeux et épais. Couvrir, puis remettre au congélateur 2 heures.
3. Retirer le bol du congélateur. Bien fouetter le mélange au batteur électrique, puis y plier délicatement les brisures de chocolat avec une spatule. Congeler jusqu'à ce que la crème glacée soit bien ferme.
4. Vingt minutes avant de servir, mettre la crème glacée au réfrigérateur pour la ramollir légèrement. Servir quelques boules par personne. Accompagner de fruits frais.

MOUSSE AU CHOCOLAT BLANC SUR MELON 4 PORTIONS

1	petit cantaloup ou melon miel paré et coupé en 4 quartiers
	Biscuits fins

MOUSSE AU CHOCOLAT BLANC

8 oz 227 g	chocolat blanc
3 c. à soupe 45 ml	beurre
⅓ tasse 80 ml	crème 35 %, à fouetter

CONSEIL DE CHEF

Le choix des ingrédients influence directement le goût de toute préparation à base de chocolat. Pour des pâtisseries exceptionnelles, choisissez des chocolats de cuisson de qualité supérieure (Lindt, Valhrona, etc.) et du cacao en poudre traité selon la méthode hollandaise (Van Houtten, Droste, etc.) parce que l'arôme est plus riche et le goût moins amer. Il en va de même pour les chocolats blancs (Lindt et Droste). Ces produits sont en vente dans certains supermarchés et les épiceries spécialisées.

1. Déposer les quartiers de cantaloup ou de melon dans quatre assiettes à dessert. Trancher la chair de chaque quartier, puis faire alterner les tranches.
2. Mettre la mousse au chocolat blanc dans une poche à douilles, puis en garnir esthétiquement la cavité des quartiers de melon. Décorer chaque portion de copeaux de chocolat blanc et d'un biscuit de fantaisie. Servir immédiatement ou réfrigérer jusqu'à 2 heures. Retirer du réfrigérateur 20 minutes avant de servir.

MOUSSE AU CHOCOLAT BLANC

3. Faire fondre tous les ingrédients au bain-marie. Mélanger jusqu'à l'obtention d'une préparation homogène et onctueuse. Retirer du feu, puis laisser reposer 20 minutes.
4. Fouetter le mélange jusqu'à ce qu'il épaississe. Le réfrigérer quelques minutes si nécessaire jusqu'à l'obtention d'une texture suffisamment ferme pour être utilisée dans une poche à douilles. Utiliser immédiatement pour garnir vos desserts.

CRÊPES AU FROMAGE À LA CRÈME ET AUX FRAISES 6 PORTIONS

	Huile
1	**paquet de fromage à la crème de 9 oz (250 g), ramolli**
3 c. à soupe 45 ml	**sucre granulé**
½ c. à thé 2,5 ml	**extrait de vanille**
1 tasse 250 ml	**fraises congelées en sirop, décongelées, le jus réservé**

PÂTE À CRÊPES (6 CRÊPES)

⅓ tasse 80 ml	**farine non blanchie**
3 c. à soupe 45 ml	**eau**
⅓ tasse 80 ml	**lait**
1	**œuf**
1 c. à soupe 15 ml	**beurre fondu**

1. Préchauffer le four à 350 °F (180 °C). Préchauffer à feu moyen-élevé une poêle à crêpe, une poêle à fond épais ou une poêle antiadhésive résistante à la chaleur élevée de 8-9 po (20-23 cm). Bien huiler la poêle à l'aide d'un essuie-tout imbibé d'huile.
2. Verser ¼ tasse (60 ml) de pâte à crêpes dans la poêle. La pencher dans toutes les directions pour étendre rapidement la pâte à crêpes. Cuire environ 1 minute ou jusqu'à ce que le dessus de la crêpe soit sec et que le pourtour soit doré. Retourner la crêpe avec une spatule, puis la cuire 15 secondes de plus ou jusqu'à ce que le dessous soit bien doré. Retirer immédiatement la crêpe de la poêle, puis la réserver sur une assiette. Répéter l'opération pour créer cinq autres crêpes.
3. Dans un bol, crémer le fromage à la crème avec le sucre et la vanille. Étendre le mélange sur les crêpes en laissant libre une bordure d'environ 1 po (2,5 cm) sur le pourtour.
4. Répartir les fraises égouttées le long du centre des crêpes. Les rouler, puis les déposer dans un plat allant au four beurré, sans les superposer. Mettre le plat sur l'étage central du four, puis cuire 10 minutes.
5. Retirer le plat du four. Servir une crêpe par personne, nappée de jus de fraise réservé. Accompagner d'une boule de crème glacée.

PÂTE À CRÊPES

6. Mélanger tous les ingrédients au mélangeur ou au robot culinaire quelques secondes ou jusqu'à ce que le mélange soit lisse. Verser le mélange dans un bol. Couvrir, puis laisser reposer 1 heure. S'il reste de la pâte, la réfrigérer dans un contenant hermétique ; elle se conservera 3 jours.

SAUCES SUCRÉES

SAUCE AU CHOCOLAT

1 ½ tasse (375 ml)

½ tasse 125 ml	**cassonade dorée**
½ tasse 125 ml	**sirop de maïs**
1	**petite boîte de lait évaporé de ⅔ tasse (160 ml)**
½ tasse 125 ml	**poudre de cacao de type hollandais**
2 c. à thé 10 ml	**extrait de vanille**

1. Dans une casserole à fond épais, faire chauffer les trois premiers ingrédients à feu moyen. Cuire en mélangeant jusqu'à ce que la cassonade soit dissoute. Dès les premiers bouillons, laisser mijoter 3 minutes sans mélanger.
2. Baisser le feu à doux. Retirer la casserole du feu, puis ajouter graduellement la poudre de cacao en fouettant. Remettre la casserole sur le feu. Une fois que le liquide bout de nouveau, laisser mijoter 1 minute sans arrêter de fouetter. Retirer la casserole du feu.
3. Réduire le mélange au robot culinaire ou au mélangeur à main jusqu'à l'obtention d'une sauce bien lisse. Ajouter l'extrait de vanille, puis mélanger. Transvider dans un contenant hermétique, puis couvrir. Réserver au réfrigérateur. Bien mélanger avant de servir.

SAUCE EXPRESS AU BUTTERSCOTCH

1 ¼ tasse (310 ml)

½ tasse 125 ml	**crème 35 %, à cuisson**
2 c. à soupe 30 ml	**beurre**
1 tasse 250 ml	**brisures de butterscotch**

1. Dans une petite casserole, mettre tous les ingrédients, puis réchauffer à feu moyen-doux. Cuire, en brassant à l'aide d'un fouet, jusqu'à ce que les brisures de butterscotch soient fondues.
2. Retirer la casserole du feu, puis bien fouetter. Laisser refroidir à la température de la pièce avant de servir. Conserver au réfrigérateur.

SAUCE AU CITRON ET AU CHOCOLAT BLANC

1 ½ tasse (375 ml)

½ tasse 125 ml	**jus de citron fraîchement pressé**
½ lb 227 g	**chocolat blanc de qualité, haché**
¼ tasse 60 ml	**miel liquide**
2 c. à soupe 30 ml	**beurre**

1. Faire fondre tous les ingrédients au bain-marie jusqu'à l'obtention d'une sauce lisse et onctueuse. Retirer du feu, puis bien fouetter. Réserver au réfrigérateur.
2. Juste avant de servir, réchauffer la sauce quelques secondes dans un bol d'eau chaude ou au micro-ondes pour la liquéfier. Cette sauce est excellente servie sur une crème glacée à la vanille, une riche crème glacée au chocolat ou un gâteau au fromage.

SALADE DE FRUITS AU YOGOURT ET AU MIEL 4 PORTIONS

2	bananes pelées et tranchées
1 tasse 250 ml	raisins sans pépins au choix, coupés en deux
1 tasse 250 ml	chair de melon au choix, coupée en cubes
1 tasse 250 ml	fraises ou framboises fraîches
2	kiwis pelés et tranchés

SAUCE AU YOGOURT ET AU MIEL

1 tasse 250 ml	yogourt à la vanille (8 % M.G.)
3 c. à soupe 45 ml	miel liquide
1 c. à soupe 15 ml	jus de citron
1 c. à soupe 15 ml	jus d'orange

1 Cette salade se prépare à la dernière minute. Mettre tous les ingrédients dans un grand bol, puis mélanger délicatement. Répartir la salade de fruits dans quatre coupes.

2 Napper chaque portion de sauce au yogourt et au miel au goût. Servir immédiatement. Accompagner de biscuits au choix.

SAUCE AU YOGOURT ET AU MIEL

3 Dans un bol, bien fouetter tous les ingrédients. Réfrigérer 1-2 heures avant de servir pour laisser le temps aux saveurs de se développer.

CONSEIL DE CHEF

Un grand melon d'eau évidé se transforme rapidement en un très beau saladier pour une salade de fruits. Ajoutez-y la chair du melon (naturellement !), des tranches de bananes, des fraises équeutées, etc., puis mouillez le tout avec un peu de jus de citron et une liqueur sucrée. Saupoudrez d'un peu de sucre, ajoutez de 1 à 2 gousses de vanille, puis mélangez délicatement. Laissez macérer 1 heure au frais, puis servez immédiatement.

BANANES EN PAPILLOTE 4 PORTIONS

4	bananes pelées et coupées en deux sur la longueur
2 c. à soupe 30 ml	beurre
2 c. à soupe 30 ml	cassonade
2 c. à soupe 30 ml	miel liquide
	Pincée de cannelle

1 Déposer les demi-bananes sur une grande feuille de papier d'aluminium, puis les garnir de beurre, de cassonade et de miel liquide. Assaisonner au goût de quelques pincées de cannelle. Refermer la papillote, puis laisser reposer 30 minutes.

2 Préchauffer le barbecue à feu moyen-doux. Déposer la papillote sur la grille. Couvrir, puis cuire 10-15 minutes. Servir 2 demi-bananes par personne. Mouiller chaque portion avec le jus de cuisson. Accompagner d'une boule de crème glacée ou de sorbet au choix.

COULIS

Voici une recette de base de coulis que vous pouvez adapter à vos goûts ou à vos besoins. Vous n'avez qu'à employer le petit fruit (fraise, framboise, mûre, gadelle, bleuet, etc.) qui vous convient ou encore une combinaison de plusieurs d'entre eux, puis à suivre la recette suivante. Vous pouvez aussi ajouter un peu d'extrait de vanille ou d'amandes au goût, selon le fruit employé.

COULIS DE PETITS FRUITS

2 tasses (500 ml)

1 ½ c. à soupe 22,5 ml	fécule de maïs
⅓ tasse 80 ml	eau
¼ tasse 60 ml	sucre
2 ½ tasses 625 ml	petits fruits au choix, parés et coupés en morceaux

1 Dans un bol, dissoudre la fécule de maïs dans 2 c. à soupe (30 ml) d'eau. Réserver. Dans une casserole, porter à ébullition le reste de l'eau, le sucre et les fruits. Laisser mijoter 5 minutes à feu moyen-doux.

2 Incorporer la fécule de maïs dissoute, puis cuire 1 minute tout en mélangeant. Retirer la casserole du feu, puis verser le mélange dans un robot culinaire. Réduire jusqu'à l'obtention d'une purée lisse. Tamiser le mélange si désiré, puis réfrigérer.

SHORTCAKE AUX FRUITS 6 PORTIONS

2 ¼ tasses 560 ml	mélange de pâte à crêpes et à gaufres du commerce
3 c. à soupe 45 ml	sucre granulé
	Zeste d'une orange râpé finement
⅓ tasse 80 ml	jus d'orange fraîchement pressé
⅓ tasse 80 ml	lait
3 c. à soupe 45 ml	confiture de framboises
1 ½ tasse 375 ml	crème 35 %, à fouetter
4	oranges pelées jusqu'à la chair et tranchées en rondelles épaisses
	Feuilles de menthe fraîche
	Framboises fraîches ou congelées

1. Préchauffer le four à 425 °F (220 °C). Dans un grand bol, bien mélanger le mélange de pâte à crêpes, 2 c. à soupe (30 ml) du sucre et le zeste d'orange. Incorporer graduellement le jus d'orange et le lait aux ingrédients secs. Mélanger jusqu'à l'obtention d'une pâte uniforme. Déposer la pâte sur une surface enfarinée, puis la travailler avec les mains 2 minutes.
2. Abaisser la pâte pour en faire un rectangle d'environ 4 po x 6 po (10 cm x 15 cm). À l'aide d'un couteau effilé, couper la pâte en six carrés de 2 po (5 cm). Déposer les carrés sur une grande plaque allant au four en les espaçant de 2 po (5 cm), puis les saupoudrer du reste du sucre. Mettre la plaque sur l'étage central du four, puis cuire les carrés de pâte 10 minutes ou jusqu'à ce que leur dessus soit légèrement doré. Retirer du four, puis laisser refroidir complètement.
3. Couper les shortcakes en deux, dans l'épaisseur. Tartiner l'intérieur de chaque demi-shortcake de confiture de framboises. Réserver.
4. Dans un bol, fouetter la crème au batteur électrique jusqu'à ce qu'elle soit ferme. Déposer les moitiés inférieures des shortcakes dans six assiettes. Garnir chaque moitié d'une rondelle d'orange, puis d'une généreuse couche de crème fouettée.
5. Déposer le dessus des shortcakes sur la crème fouettée, puis les décorer d'un peu de crème fouettée, de feuilles de menthe et de framboises entières. Servir immédiatement ou réfrigérer 2-3 heures avant de servir.

ORANGES ET BANANES OLÉ ! 4-6 PORTIONS

4	oranges pelées jusqu'à la chair, coupées en deux et tranchées
	Jus d'une orange
2 c. à soupe 30 ml	cassonade
1 c. à thé 5 ml	poudre de chili
2	petites bananes pelées et tranchées

1 Dans une grande assiette creuse de service, répartir également les tranches d'oranges. Réserver.

2 Dans un bocal hermétique, mélanger le jus d'orange, la cassonade et la poudre de chili. Secouer jusqu'à ce que les ingrédients soient bien intégrés. Verser la sauce sur les tranches d'oranges. Couvrir, puis réfrigérer 30-60 minutes.

3 Au moment de servir, retirer l'assiette du réfrigérateur, puis répartir les tranches de bananes sur les tranches d'oranges. Servir immédiatement, directement à table.

CONSEIL DE CHEF

Pour un dessert glacé facile et rapide à préparer, pelez une banane mûre, emballez-la dans une pellicule de plastique, puis congelez-la au moins 2 heures et jusqu'à une semaine. Au moment de servir, laissez-la ramollir pendant 10 minutes au réfrigérateur, puis dégustez. Un merveilleux goût de crème glacée à la banane! Pour une version vraiment décadente, nappez-la d'une sauce au chocolat au choix.

COUPELLES GLACÉES AUX PETITS FRUITS ET AU GÂTEAU AU FROMAGE 4 PORTIONS

1 ½ tasse 375 ml	crème glacée ou sorbet aux petits fruits, au choix
2 tasses 500 ml	gâteau au fromage froid, sans croûte
4	gros cornets (ou coupes) gaufrés
	Sirop de petits fruits
	Framboises fraîches

1. Mettre la crème glacée à la framboise au réfrigérateur 20 minutes pour la ramollir. Dans un grand bol refroidi, déposer le gâteau au fromage et la crème glacée.
2. À l'aide d'une cuillère de bois, intégrer les deux ingrédients sans trop mélanger. Congeler jusqu'au moment de servir ou utiliser immédiatement.
3. Répartir le mélange dans les cornets ou les coupes. Mouiller généreusement avec le sirop de petits fruits, puis garnir de framboises fraîches. Servir immédiatement.

CONSEIL DE CHEF

Si vous avez du mal à trouver des petits fruits de qualité à prix abordable, utilisez des petits fruits congelés non sucrés. Faites-les d'abord décongeler au réfrigérateur de 2 à 3 heures juste pour les ramollir, puis sucrez-les au goût. Servez-les immédiatement. Vous préférerez peut-être les laisser décongeler complètement, mais rappelez-vous que dans ce cas, le jus s'écoulera au fond du plat.

FEUILLETÉ LÉGER AUX PÊCHES ET AUX FRAISES 6-8 PORTIONS

1	œuf battu
1 tasse 250 ml	crème 35 %, à fouetter
2 c. à thé 10 ml	sucre granulé
1 c. à thé 5 ml	extrait de vanille
1	boîte de 19 oz (540 ml) de pêches tranchées en boîte, le jus réservé
12-16	fraises fraîches équeutées, coupées en deux
2 c. à soupe 30 ml	confiture de fraises
2 c. à soupe 30 ml	sucre granulé

PÂTE BRISÉE (2 ABAISSES DE PÂTE)

1 c. à thé 5 ml	sel
1 c. à thé 5 ml	sucre granulé
2 tasses 500 ml	farine non blanchie
½ tasse 125 ml	graisse végétale
½ tasse 125 ml	beurre froid coupé en petits dés
⅖ tasse 100 ml	eau froide

1. Préchauffer le four à 400 °F (205 °C). Abaisser la boule de pâte brisée sur une surface enfarinée jusqu'à l'obtention d'un rectangle d'environ 5 po x 16 po (12,5 cm x 40 cm). À l'aide d'un petit couteau effilé, couper l'excédent de pâte afin d'obtenir un rectangle parfait. Déposer le rectangle de pâte sur une grande plaque allant au four. Réserver.
2. Abaisser l'excédent de pâte et former des languettes d'environ 1 po (2,5 cm) de large. Mouiller le pourtour du rectangle de pâte, puis y déposer les languettes pour créer une belle bordure. Badigeonner le feuilleté d'œuf battu, puis mettre la plaque sur l'étage central du four. Cuire 20 minutes ou jusqu'à ce que le feuilleté soit bien doré. Retirer du four, puis laisser refroidir complètement.
3. Dans un bol, fouetter la crème au batteur électrique jusqu'à ce qu'elle soit semi-ferme. Ajouter le sucre et l'extrait de vanille, puis continuer de fouetter jusqu'à ce qu'elle soit ferme. Étendre la crème fouettée sur le feuilleté, puis alterner les tranches de pêches et les demi-fraises sur la crème.
4. Dans une petite casserole, porter à ébullition la confiture, le sucre et 4 c. à soupe (60 ml) du jus de pêche réservé. Tamiser le mélange, puis en napper le dessus du feuilleté. Réfrigérer 1-2 heures avant de servir.

PÂTE BRISÉE

5. Tamiser le sel, le sucre et la farine dans un bol. Ajouter la graisse végétale et le beurre, puis les intégrer à l'aide de deux couteaux ou d'un coupe-pâte. Ne pas trop mélanger.
6. Verser l'eau froide d'un seul coup, puis travailler légèrement la pâte avec une fourchette jusqu'à ce qu'elle forme une boule. Déposer la pâte sur une surface de travail, puis la pétrir légèrement. Emballer la boule de pâte dans une pellicule de plastique, puis la réfrigérer 1 heure.

TARTELETTES DE PÂTE PHYLLO AUX FRUITS 6-8 PORTIONS

4	grandes feuilles de pâte phyllo décongelées
4 c. à soupe 60 ml	beurre fondu
4 c. à soupe 60 ml	sucre granulé
¼ tasse 60 ml	liqueur de melon ou autre liqueur de fruits
2 c. à soupe 30 ml	sirop de maïs
	Zeste d'un demi-citron râpé finement
	Jus d'un demi-citron
2	oranges pelées jusqu'à la chair et coupées en petits cubes
1 tasse 250 ml	raisins verts sans pépins coupés en deux
1 tasse 250 ml	petites boules de chair de melon miel
2	kiwis pelés, coupés en quartiers et tranchés
	Feuilles de menthe fraîche

CONSEIL DE CHEF

Rien de plus facile que de préparer un coulis de petits fruits. Réduisez les petits fruits en purée à la fourchette, puis passez-la purée un tamis fin. Sucrez le coulis au goût avec du sucre à glacer ou à fruits. Mélangez bien.

1 Préchauffer le four à 375 °F (190 °C). Déposer une feuille de pâte phyllo sur une surface de travail. La badigeonner de beurre fondu, puis la saupoudrer de 1 c. à soupe (15 ml) de sucre. Déposer une seconde feuille de pâte phyllo sur la première, puis la badigeonner de beurre fondu et la saupoudrer de 1 c. à soupe (15 ml) de sucre. Répéter l'opération deux autres fois.

2 Couper la pâte en 12 portions égales. Déposer les morceaux de pâte phyllo dans les cavités beurrées d'un moule à muffins, puis les presser pour leur donner la forme de la cavité. Mettre le moule au four, puis cuire 6-8 minutes ou jusqu'à ce que la pâte soit légèrement dorée. Retirer le moule du four, puis laisser refroidir complètement.

3 Dans un bol, mélanger délicatement le reste des ingrédients, sauf les feuilles de menthe. Réfrigérer1-4 heures pour laisser le temps aux saveurs de se développer. Mélanger à quelques occasions durant le marinage.

4 Déposer les coquilles de pâte phyllo sur une assiette de service, puis les remplir du mélange de fruits. Garnir chaque tartelette d'une feuille de menthe. Servir immédiatement.

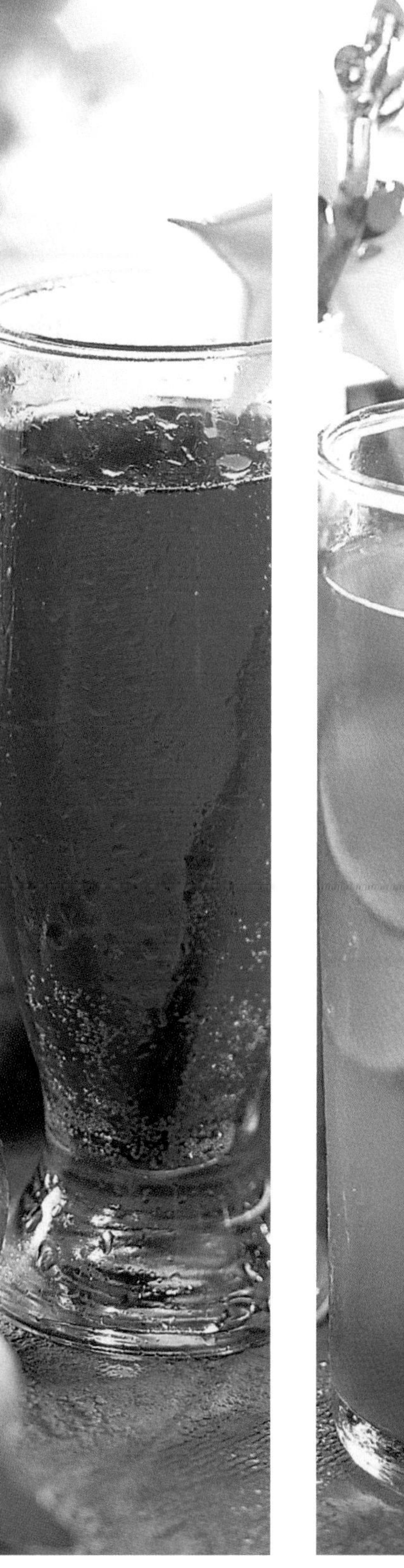

Boissons d'été

TEQUILA DIABLO I PORTION

1	petit quartier de lime
	Sel
¼ tasse 60 ml	jus d'orange
⅓ tasse 80 ml	jus de citron ou de lime
2-3	glaçons
2 oz 55 ml	tequila

1. Prendre une grande coupe à champagne large et profonde et la tenir à l'envers. Passer un morceau de lime sur le rebord du verre afin de le mouiller. Saupoudrer le bord mouillé du verre d'un mince filet de sel. Réserver.
2. Mettre le reste des ingrédients dans un robot culinaire et réduire quelques secondes jusqu'à ce que la glace soit concassée. Transvider dans la coupe réservée. Servir immédiatement. Décorer d'un quartier de lime et d'une feuille de menthe.

CÉSAR SAIGNANT LE GUIDE CUISINE I PORTION

½	lime coupée en deux
	Sel de céleri
3	glaçons
	Sauce Worcestershire
	Sauce tabasco
	Poivre moulu
¼ c. à thé 1 ml	sauce sichuanaise (facultatif)
1 ½ oz 45 ml	vodka
	Cocktail de palourdes (Clamato)
½	branche de céleri
½	branche de carotte

1. Prendre un verre creux rond et le tenir à l'envers. Passer un morceau de lime sur le rebord du verre afin de le mouiller. Saupoudrer le bord mouillé du verre de sel de céleri. Retourner le verre et y déposer les glaçons. Assaisonner selon les goûts des sauces Worcestershire et tabasco ainsi que de poivre.
2. Mouiller avec le reste du jus de lime contenu dans le premier morceau. Ajouter la sauce sichuanaise et la vodka. Remplir jusqu'au rebord avec le cocktail de palourdes. Mélanger délicatement. Pour décorer, déposer un quartier de lime sur le bord du verre et y ajouter les deux branches de légumes. Servir immédiatement.

PIÑA COLADA AUX PÊCHES I PORTION

1 ½ oz 45 ml	rhum blanc
3	glaçons
⅓ tasse 80 ml	jus d'ananas
¼ tasse 60 ml	cocktail de pêches
3 c. à soupe 45 ml	lait de noix de coco

1. Mettre tous les ingrédients dans un robot culinaire et réduire quelques secondes afin de concasser la glace. Verser dans un grand verre givré et décorer d'un morceau de fruit au choix. Servir immédiatement.

SANGRIA OLÉ ! OLÉ ! 6 PORTIONS

3 tasses 750 ml	vin rouge au choix (1 bouteille)
2 c. à soupe 30 ml	sucre granulé
½ tasse 125 ml	brandy
1	citron tranché
½	orange tranchée
2 tasses 500 ml	cubes de glace
1 tasse 250 ml	boisson gazeuse à la lime et au citron (Sprite, 7UP, etc.)

1. Verser le vin dans un grand bol à punch ou à salade au moins 1 heure avant de servir. Ajouter le sucre et mélanger jusqu'à ce qu'il soit dissous. Incorporer le brandy tout en mélangeant lentement. Ajouter les tranches de citron et d'orange. Réfrigérer jusqu'au moment de servir.
2. Avant de servir, ajouter les cubes de glace et la boisson gazeuse. Mélanger délicatement. Servir immédiatement avec une louche. Idéalement, verser uniquement le liquide; les cubes de glace et les morceaux de fruits demeurent dans le bol.

COCKTAILS TROPICAUX À LA LIME 4 PORTIONS

⅔ tasse 160 ml	brandy
1 tasse 250 ml	jus ou cocktail de fruits tropicaux (Oasis, Tropicana, etc.)
1 c. à soupe 15 ml	sirop de grenadine
1 ⅓ tasse 330 ml	boisson gazeuse à la lime et au citron (Sprite, 7UP, etc.)
1	lime tranchée

1. Remplir 4 grands verres (« highball ») de glaçons. Y verser le brandy, le jus de fruits et le sirop de grenadine. Mélanger délicatement avec un petit bâton. Remplir de boisson gazeuse et décorer de demi-tranches de lime. Servir immédiatement.

GLAÇONS DÉCORATIFS

Une jolie façon d'égayer vos jus et cocktails estivaux consiste à les agrémenter de ces glaçons joyeusement colorés. Simples à réaliser, ils donneront du punch à vos boissons !

FRAISE
Trancher des fraises en petites bouchées. Déposer 1-2 morceaux dans chaque cavité du bac à glaçons. Couvrir d'eau. Congeler.

FLEUR
Déposer une fleur comestible au choix (pensée, bourrache, capucine, rose, etc.) dans chaque cavité du bac à glaçons. Utiliser des fleurs de culture biologique, si possible. Couvrir d'eau. Congeler.

FRUIT DE LA PASSION
Remplir chaque cavité du bac à glaçons du tiers de sa capacité avec de la chair de fruit de la passion (avec les pépins). Couvrir de jus d'orange ou d'ananas. Congeler.

BLEUET
Déposer quelques gros bleuets dans chaque cavité du bac à glaçons. Couvrir de boisson gazeuse claire. Congeler.

PUNCH AUX FRUITS 12 TASSES (3 L)

2	limes bien nettoyées, puis tranchées
2	oranges bien nettoyées, coupées en deux, puis tranchées
1 tasse 250 ml	bleuets
1 tasse 250 ml	fraises parées et coupées en deux
1 tasse 250 ml	framboises
3 tasses 750 ml	jus de pomme clair
12	feuilles de menthe fraîche
4	anis étoilés
6 tasses 1,5 L	jus de pomme pétillant, froid

1 Mettre les huit premiers ingrédients dans un grand bol à punch ou à salade, puis réfrigérer 6-12 heures. Au moment de servir, ajouter le jus de pomme pétillant et quelques glaçons. Mélanger et servir immédiatement dans des tasses à punch.

LAIT DE SOYA À LA BANANE ET À L'ORANGE 4 TASSES (1 L)

2 tasses 500 ml	lait de soya nature ou à la vanille
2	grosses bananes coupées en tronçons
1 tasse 250 ml	jus d'orange
8	gros glaçons

1 Mettre tous les ingrédients dans un robot culinaire ou un mélangeur. Réduire jusqu'à l'obtention d'une boisson lisse et homogène. Servir immédiatement dans de belles coupes. Garnir chaque coupe d'une tranche d'orange ou de banane (avec la peau) coupée en diagonale .

LAITS FRAPPÉS EXPRESS

CHOCO SUPRÊME GLACÉ

1 portion

1	grosse boule de crème glacée au chocolat
½ tasse 125 ml	lait 3,25 %
1	petite banane mûre
⅛ c. à thé 0,5 ml	extrait de vanille
2 c. à soupe 30 ml	sauce au chocolat au choix
1	bâtonnet (paille) de chocolat

1 Mettre la crème glacée, le lait, la banane, l'extrait de vanille et 1 c. à soupe (15 ml) de sauce au chocolat dans un mélangeur. Réduire jusqu'à ce que le mélange soit bien lisse.

2 Verser le reste de la sauce au chocolat au fond d'un grand verre préalablement refroidi 5 minutes au congélateur (en ajouter un peu plus si désiré). Y verser le choco suprême, puis garnir du bâtonnet de chocolat. Servir immédiatement. Pour une variante tropicale, remplacer le lait 3,25 % par du lait de noix de coco.

CAFÉ LATTE FRAPPÉ

2 portions

¾ tasse 180 ml	café espresso refroidi
2-3 c. à soupe 30-45 ml	lait condensé sucré
1	goutte d'extrait de vanille
½ tasse 125 ml	glaçons
1 c. à thé 5 ml	liqueur de café (facultatif)
2	petites boules de crème glacée à la vanille, au chocolat ou au café

1 Mettre tous les ingrédients, sauf les boules de crème glacée, dans un mélangeur. Réduire jusqu'à l'obtention d'un mélange homogène. Verser dans deux grands verres, puis garnir chaque portion d'une boule de crème glacée au choix. Servir immédiatement avec des pailles.

AVALANCHE DE PETITS FRUITS

1 portion

⅓-½ tasse 80-125 ml	petits fruits congelés
1 tasse 250 ml	lait 3,25 % ou lait de soya
1 c. à soupe 15 ml	sucre granulé
⅛ c. à thé 0,5 ml	extrait de vanille

1 Mettre tous les ingrédients dans un mélangeur. Réduire jusqu'à l'obtention d'un mélange homogène. Servir immédiatement dans un grand verre. Pour une boisson plus soutenante, ajouter un œuf. Pour obtenir une boisson lisse et onctueuse, tamiser le mélange avant de le servir.

LAIT FRAPPÉ À LA BANANE, À L'ORANGE ET AU MIEL 4-6 PORTIONS

	Suprêmes de 4 oranges sans pépins
2	bananes pelées et tranchées
1 tasse 250 ml	lait 2 % ou écrémé
2 c. à thé 10 ml	miel liquide
½ c. à thé 2,5 ml	extrait de vanille
4	glaçons
	Muscade moulue (facultatif)

1. Déposer les suprêmes d'oranges, les bananes, le lait, le miel et l'extrait de vanille dans un mélangeur. Réduire le tout pour en faire un mélange onctueux. À basse vitesse, ajouter les glaçons un à la fois. Mélanger 15-20 secondes.
2. Verser le mélange dans de grands verres. Saupoudrer le dessus de chaque portion de muscade moulue. Servir immédiatement.

VOIE LACTÉE AUX FRAMBOISES 3 TASSES (750 ML)

2 tasses 500 ml	lait
1 ½ tasse 375 ml	framboises fraîches
2 c. à soupe 30 ml	confiture de framboises
½ c. à thé 2,5 ml	extrait de vanille
6	gros glaçons
	Framboises fraîches
	Bâtonnets de chocolat

1. Mettre tous les ingrédients dans un robot culinaire ou un mélangeur, puis réduire jusqu'à l'obtention d'une boisson lisse et homogène. Si désiré, tamiser le mélange pour une boisson plus onctueuse. Servir immédiatement dans des coupes. Garnir chaque portion d'une framboise fraîche et d'un bâtonnet de chocolat.

« FUZZY » NAVEL BLANC 4 PORTIONS

4	grosses oranges navels
2 tasses 500 ml	crème glacée à la vanille
½ tasse 125 ml	chair de pêches fraîches ou en conserve, hachée
4	glaçons
	Feuilles de menthe fraîche

1. Couper la calotte de chaque orange (le quart supérieur), puis les évider avec une cuillère en conservant la pulpe et le jus dans un petit bol. Réserver les coupes d'oranges au réfrigérateur.
2. Déposer la pulpe et le jus des oranges, la crème glacée, la chair de pêches et les glaçons dans un mélangeur, puis réduire jusqu'à l'obtention d'un mélange onctueux. Remplir les coupes avec le mélange de crème glacée. Garnir chaque portion d'une feuille de menthe. Servir avec de petites pailles.